東京産業大學教授　田上穰治著

自由權・自治權及び自然法

東京　書肆　有斐閣

序

本書は著者が各種の雜誌及び論文集に發表した論文のうち、自然法・自由權・自治權に關するものを修正加筆して蒐錄したものである。

終戰後の我が國は戰時下の指導理念を一擲し、政治と共に各般の法制が一新されつつある。もし法律實證主義の立場をとるならば、從來の法律學はその對象を喪失し、夙にキルヒマンが指摘する如く法律學の價値なきことを歎じなければならぬであらう。これに反して實定法秩序の上に或はその前提として自然法秩序を認めるならば、法律學はかかる歷史の轉換期にあつてもなほ搖がざる基礎をもつのである。

自然法はしばしば永遠不變なる客觀的法規として自然科學の法則と比較されるのであるが、實際は人類の信念或は世界觀であつて基督敎的信仰・ストア的世界觀・ゲルマン的法律思想の如く必ずしも一樣でなく、國により時代によつて或る程度の變遷を免れない。基督敎的信仰はあらゆる民族と時代を通じて變らざる神の國の義と愛を求めるものであり、從つて永遠性をもつべきであるが、福音主義の立場ではそれが人智を超越する神の經綸に出づるものであり、從つて合理的な法の形式によつて把握することは信仰の律法化として警戒するところであり、又カトリシズムに於いても自然法の内容の細目的確定が相對的に變化することを認めてゐる。況んや啓蒙時代の自然法説が中世の神學に對する反動としてストア的世界觀に接近し、普遍妥當性を主張するに拘はらず必ずしも現實の社會に妥當せざることは、フランス革命の結果に徵して明かであらう。

従つて不斷に變化する實定法を理解するについて、その理念としての自然法を無視することを得ないと同時に、自然法が假空の理論に陷らざる爲には、各國家の歴史的現實を輕視することを許されない。

從來の我が憲法は、實際の政治に於いて著しく歪曲されたのに拘はらず、その根柢には自由主義的立憲主義的原理を堅持するものであつた。本書では先づ我が憲法に於いて自然法的解釋が必要なることを指摘する。更に憲法の認める自由權の本質は人權であつて、超實定的な自然の自由を前提とすべく、又地方團體の自治權は元來憲法上の明文なかりしに拘はらず、憲法的慣習法によるもので、從來と雖も法律を以て奪ふべからざるものと解するのである。警察法の歴史的習俗的性格もこの自由權の法理と不可分の關係をもつ。ただかくの如き見解に對しては、常に反對の學説があり、主權の最高絶對性を强調し、自由權・自治權は單純なる實定法上の制度であつて通常の立法により自由に改廢するを得べく、殊に戰時又は國家事變に於いては廣汎なる授權により獨裁的措置が適法に行はれるものと主張されたのである。本書の論文中「地方制度改革の動向」「立法事項について」「非常大權について」はかかる傾向に對する著者の見解を示すものである。

著者は政府の憲法草案が從來の憲法の根柢を覆すものではなく、その意味で新憲法の制定といふよりも憲法の改正といふべきものと考へるが、これに伴ふ各般の立法は從來の憲法のもつ民主主義或は自由主義の發展でなければならない。ゲオルグ・エリネックが指摘するやうに、人權宣言がアメリカに於いて國家の基礎を固からしめたのに反して、フランスでは徒らに國家を混亂に陷らしめるに至つたことは注意されなければならぬ。

なほ本書の出版については有斐閣西田勝三氏に對して衷心より謝意を表する。

昭和二十一年七月

田上穰治

自由權・自治權及び自然法　目次

序

憲法解釋の自然法的色彩

一

私はここで自然法そのものを研究するのではなく、ただ憲法の解釋に當つて、自然法の理論が如何に必要であり、又如何なる結論を導くかを明かにしたいと思ふ。

自然法的國家論は元來國家と法の關係を說明せんとするものである。中世にあつては一方に於いて教會の權力が單純なる法秩序の彼方にその基礎と目的とを有し、法に對して獨立であつたのと同じく、國家も亦法的基礎の他に倫理的若くは自然的必然性に據るもので、それは自ら法を創造するものと解された。併しながらかかる思想と同時に他方に於いて國家より獨立な法を主張するゲルマン思想が認められ、これは國家が法の理念に奉仕すべく、國權に法的限界ありとするものであつた(註一)。ここに國家と法と何れが先行するかの問題が提出されたのである。

この問題はその後今日に至るまで絕えず論爭されて來た。法が國家に先行するとの學說(註二)に對しては、國家概念の不明確なことが擧げられる。近代的國家のみならず、すべて人類が組織せる團體であつて他の支配を受けないものを國家とすれば、それが法の前提たることは疑を容れない。又反對に國家が法に先行するとの學說は國家現象を法現象と見る要求に矛盾する。法規が國民のみを拘束し國家を拘束せざるや否やは、各時代の社會心意によつて異る。法的進化の進んだ國家は、その意思の發動に法的價値判斷が加へられるのみならず、臣民の權利を保障する憲法規定は立法權の主體としての國家をも制約するからである(註三)。

　けれども更に考へるのに國家が法の前提なりとしても、それは後述する如く法の理念がその素材に規定されることを意味するに過ぎず、兩者の關係は因果關係であつて、これを基礎づける論理關係とは區別しなければならぬ。又法の妥當性を社會心意に求めることは、規範と實在とを混同するものに非ざるかの疑がある。私は結局中世に旣に試みられた自然法による說明が正當であると信ずる。以下にその素描を試みよう。

（註一） Gierke, Johannes Althusius und die Entwicklung der naturrechtlichen Staatstheorien, S. 264.

（註二） Haenel, Das Gesetz im materiellen und formellen Sinne, S. 217; Rehm, Die überstaatliche Rechtsstellung der Dynastien, S. 29 ff.

（註三） Georg Jellinek, Allgemeine Staatslehre, 1929, S. 364 ff.

二

國家と法の關係すなはち法治國の問題を檢討するに當り、順序として先づ相對主義(Relativismus)の學說を擧げ、その後に自然法による考察を述べることにする。

一　ケルゼンは因果的考察による國家と規範的考察による國家とを截然と分離せしめ、法律學的認識に於いては國家と法を同一に解してゐる(Identität von Staat und Recht)。その結果違法の國家は國家たり得ず、從つて國權が法的拘束を蒙むるや否の問題は當然に消滅するに至るのである(註一)。けれども國家はこれを法律價値の概念として論ずる他に、法律實在の概念(Rechtswirklichkeitsbegriff)として、換言すれば法律價値と關係せしめたる概念として論じなければならぬ。それは價値を實現せんとする意味ある世界であつて、文化事實としての法及び國家はこれに屬する(註二)。かくて初めて國家が法に拘束されるや否やの問題を生ずる。殊にこの問題は法の理念たる法的安全と正義が屢々國家目的と衝突することある爲に、一層明瞭となるのである。

(註一) Kelsen, Allgemeine Staatslehre, S. 91, 100. 立法(Gesetzgebung)なる語は意欲する過程と意欲せられたる結果とを意味する。そして前者すなはち規定する秩序としての立法は國家を意味し、後者すなはち規定せられたる秩序としての立法は法を指すのである。vgl. Derselbe, Hauptprobleme, S. 395 ff.

（註二） Radbruch, Rechtsphilosophie, 1932, S. 1 ff. ラートブルフによれば自然科學的思惟に屬する、價値と沒交渉の世界(wertblind)、論理學・倫理學・美學等の價値哲學に於ける價値判斷を爲す世界(bewertend)眞理を追求する學問、善を追求する道德、美に對して努力する藝術の如く、價値に係らしめられたる世界(wertbeziehend) 及び價値を超克する宗敎の世界 (wertüberwindend) の四が區別される。この理論は、價値と實在とを區別し、歷史的所與は抽象的價値形式より導き出す能はずとするラスクの方法論 (Emil Lask, Gesammelte Schriften, I, S 280) に從ふものであるが、それは後述する內容的な自然法に反對する理論である。

二　エリネックは國家の優位 (Priorität) を認めつつ、しかも法が國家を拘束することを説明せんとして、國家の自律的制限(staatliche Selbstverpflichtung) を主張する(註三)。國內法のみならず國際法までも自由なる國家意思により基礎づけることに對してはこれを放恣と廢棄に陷れるものとして非難する說(註四)があるが、彼は法の哲學的基礎を超法學的問題とし、法學的構成に於いては、自由なる國家意思の他には法の形式的根據を求むることを得ないと解してゐる(註五)。けれども私法に於いて意思表示がその表示者を拘束するのは、實定法の規定ある爲である。然るに實定法主義は國家以上の法秩序を認めないから、契約の法理を以て國內法及び國際法の妥當性の淵源を説明することは不充分なるを免れない。

後述する如く契約は自然法論の重要なる基礎である。すべて他律的法規範は契約によつて自律性を與へられ、個人を拘束する法は同時に個人の利益の爲にするものと看做される。けれども意欲は當爲を生ぜしめず、必然を生ずるに過ぎないのであるから、契約の拘束力も契約締結者の意思に基づかず他律的な法規範に據るものと解しなければならぬ(註六)。自由意思がその一旦下せる決定を自由に破り得るのはいふまでもなく、それは決して自律的な法及び道徳を否認することにならない(註七)筈であるが、このことは法及び道徳の規範性と矛盾するのは明かである。

(註三) Georg Jellinek, Die rechtliche Natur der Staatenverträge. 國家の定立した規範によつて臣民及び國家機關が義務づけられることはいふまでもないが、同樣に國家自身の意思が拘束せらるるや否やは問題である。エリネックはこれを國權の自律的制限と解して、ここに國際法の基礎を求めた(S. 7)。そしてそれは同時に國內法が主權を拘束する根據である(S. 19)。國家が他の法人格と異る特色は、外部に對して最高の權力あるのみならず、拘束せらるる法を自ら定立する權能(Selbstherrlichkeit)あることに求められる(S.18)。

(註四) R. v. Mohl, Die Geschichte und Literatur der Staatswissenschaften, I, S. 382.

(註五) Georg Jellinek, a. a. O. S. 3 Anm. 3. ヘーゲルも亦實定的國際法の前提として、國家を拘束する法は一般的な・國家の上位に構成されたる意思に非ずして、各國家の特別な意思に基づくものとし、國家聯合によつて永遠の平和を齎さんとするカントの思想は各國家の同意を前提とするから、倫理的宗教的理由等の他、常に特別の主權的意思に基づくことを要し、從つて偶然性を負はさるべきものと解してゐる（Hegel, Grundlinien der Philosophie des Rechts, § 333)。

(註六) ラートブルフによれば、所謂自律的制限に於いて、拘束する意思は拘束せらるる意思と異る。前者は純然たる理性的存在としての人であり後者は經驗的な個人である。國家についても同樣で、その自律的制限は法秩序としての國家が現實の經驗的な國家を拘束するものに他ならない(Radbruch, a. a. O. S. 142, 181)。

(註七) vgl. Jellinek, a. a. O. S. 16; Derselbe, Allgemeine Staatslehre, S. 368 Anm. 1.

三 ラートブルフの如く實在と價値若くは規範を峻別するときは、法の妥當性はそれが永き慣行による法的確信に支持さるるや否や、或は强制・刑罰を以て强行さるるや否やとは論理的に無關係である(註八)。法を强行する力は畢竟心理力に歸するから、その限度では實力說（Machttheorie）よりも寧ろ承認說（Anerkennungstheorie）が法の妥當性を說明するのに適してゐるが、後者は個人の眞の利益が當然にその欲する所たるものと擬制する誤があり、從つて歷史的社會學的な妥當性の理論は支持することが出來ない(註九)。

實定法及び國家が實現せんとする價値は、實在の世界ではなく、自然法の領域に屬する。第一に法の目的・自然法が明瞭だと假定すれば、これと牴觸する實定法は當然に效力を失ふべきである。けれども實際には自然法が明瞭を缺き、何が法なりやは超個人的地位を通して明確に規定する必要があるから、ここに實定法の妥當性が基礎づけられる。單なる理性乃至學問の力を以ては法的安全を實現することが出來ないから、主權的意思・權力によつて平和と秩序を維持するのである(註一〇)。第二に國家も亦實定法と同じく自然法に制約される。蓋し國權が實定法を定立するのは法的安全に基づくのであるが、それは國權が自ら定立せる實定法の拘束を受くべきものとする自然法を前提とするからである(註一一)。故にエリネックの所謂「事實の規範力」(normative Kraft des Faktischen)(註一二)は法の妥當性が事實的權力に基づくことを意味せず、法を定立する國權が法的安全を目的とする結果、右の如き自然法から事實的なものの規範力が與へられるに至るものと解しなければならぬ。

(註八) 從つて規範を現實・過去及び將來の事實に求める實證主義・歷史主義及び進化論はいづれも誤謬を含む(Radbruch, a. a. O. S. 6.)。

(註九) 承認說によれば、法律に違反せる者はその意思に於いては明かに法律を否認したのであるが、感情に於いては、これを否定せんとするも否定し得ない。すなはちこの說では心理的な承認の事實は問題でなく、當然承認せざるを得ぬ所は間接に承認せるものと看做すのである(Ibid., S. 79. 80)。

(註一〇) 新憲法によつて舊憲法が廢止されることは成文憲法の上に根本規範あることを示す。憲法がその遵守されざるに至るや消滅し、又新なる權力が人民を支配するに至るや直ちに新憲法が成立する事實は、スピノザの「服從は命令者を作る」(oboedientia facit imperantem)の原理或は「凡べての人上にある權威に服ふべし」(Römer, XIII, 1)を證明するものである(Walter Jellinek, Grenzen der Verfassungsgesetzgebung,

S. 15 ff.)。 ケルゼンの根本規範も亦大體に於いて服從されることを要するもので、ここに權力が法に變形するものと解される（Kelsen, Naturrechtslehre und Rechtspositivismus, S. 65)。 vgl. auch Walz, im Arch Öff R. LVIII S. 1 ff.

（註一一） 法が國家を拘束するや否やの問題では、國家の實體を究明する必要はない。我等はただ國權の發動、すなはち意欲し行動する國家を論ずれば足りる（vgl. Jellinek, Staatenverträge, S. 10)。

（註一二） Jellinek, Allgemeine Staatslehre, S. 338.

四　ラートブルフは價値判斷を、認識の問題ではなく信仰の問題なりと論ずる。然るときは法律哲學はただ法規範をその上位の法規範によつて基礎づけるに止まり、對立する窮極の規範は公理・前提として與へられ、これを選擇することは專ら世界觀に委ねられる。すなはち最高の法規範としての憲法はcausa sui として前提され、所謂自然法は單に個人と國家の關係に法概念を適用したものに他ならぬ。法の目的たる正義と合目的性は形式的な法的安全の背後に隱れ、裁判官の實質的な法律審査權は容易に否定される(註一三)。 かかる相對主義の結果として、上述の如き差異あるにも拘はらずケルゼン・エリネック・ラートブルフ等は齊しく內容的な本來の自然法を拒否するのである(註一四)。

（註一三） Radbruch, a. a. O. S. 38, 183 故に習俗的規範・倫理的規範と法規範との牴觸、不文法と成文法、國內法と外國法の牴觸の如き問題は解決することが困難である（Ibid., S. 77)。

（註一四） Ibid, S. 11 Anm 2.

これに反して本來の法治國の思想は、國家に先だつ人權乃至は國家以上の內容的な自然法を認める。それは第十二世紀以來援用された羅馬法の原則「主權者は法律に拘束せらるることなし」（Princeps legibus solutus est）に對するものであつた（註一五）。主權者はそれが君主たると人民たるとを問はず（註一六）、必要に應じて自ら定立した法を破毀し又人民の權利を侵害することが出來る。これに對して超國家的な自然法は國家そのものに法的基礎を與ふるものであり、從つて自然法に基づく人民の權利は單純なる實定法上の權利（ius mere positivum）と異り國家或は主權者の侵すべからざる所であつた（註一七）。主權が自然法の限界を踰越した場合には如何なる效果を生ずるか。中世に於いては當初かかる場合、主權の發動は無效であつてその定立する法律は何等拘束力を生ぜず、裁判所及び行政廳もかかる法律を適用するを得ず、若し臣民が服從を强要されるならば反抗權あることを認めたのである（註一八）。然るに初めて（註一九）近世の意義に於ける主權の本質を論じたエーネアス・シルヴィウス（1405—1464）は主權無制約の原則を大體認めたけれども、それは地上の意味（temporalia）に限られ、主權者の不正が如何なる意味に於いても違法とならずとする結論に達せず、君主政の外的法律名義は帝權法（lex regia）に示される羅馬市民の同意（consensus populi）に存し、その內的根據は正義及び平和を保障することが民主政及び貴族政に優る爲にあると論じた（註二〇）。かくて主權の發動に對して强制手段或は取消の途なきときであつても主權の實質上の違法が可能とされ、神法及び自然法による主權の法的拘束が一般に承認されたのである(註二一)。

(註一五) ボーダンは lex なる語を廣狹二義に用ゐた。狹義では國家が定立する法規であり (vgl. Georg Jellinek, Gesetz und Verordnung, S. 43) 廣義では國權のすべての發動をいふ。そして legibus solutio はすべての支配權力より獨立なることを意味する (Rehm, Geschichte der Staatsrechtswissenschaft, S. 223 Anm. 6)。

(註一六) ヘラーによればボーダンは必ずしも王權擁護者ではなく、彼の所謂主權者は princeps と同樣 populus をも示すものである (Heller, Souveränität, S. 15)。

(註一七) 天賦不可侵の人權は、それが直接に自然法及び神法の最高原理から絶對的客觀的な效力を認められることに由來する。中世の國家論乃至法律論は古代のそれと異り、基督教によつて世界に啓示され、ゲルマン民族によつて鋭く感受された思想、すなはち個人の價値の絶對不滅の信仰を各方面に發展させた。各個人はその永遠の使命により、國家に對してもその本質は神聖不可侵なること、極めて瑣細な部分も全體に關してのみならずそれ自身獨立に價値を有すること、個人は全體の單なる手段に止まらず同時に目的として考察されること等はこれである (Gierke, a. a. O. S. 275 Anm, 29)。

(註一八) Ibid, S. 276.

(註一九) エーネアス・シルヴィウス以前で彼の說に影響を與へた者は、敎皇の至上權を論じた Marsilius von

Padua の定義である (Rehm, a. a. O. S. 197 Anm. 1)。

(註二〇) Ibid., S. 198, 201 ff.

(註二一) Gierke, a. a. O. S. 278 Anm. 37.

飜つて法の目的から自然法を論究しよう。法の目的が善なる倫理的價値にあることはいふまでもないが、その地盤についてラートブルフは次の三種を區別する。(a)個人の人格を地盤とする個人價値(Individualwerte)を最高目的とするときは、法の窮極目的は自由であり、國家は契約の法理を以て說明される。但しこの契約說は次の有機體說と同じく現實の國家を說明するものではなく、國家の目的・使命を示すものであることを注意しなければならぬ。又ここに所謂個人は經驗的な個性を具備する現實の人間ではなく、倫理的・理性的な人格を意味する。蓋し社會主義の如く現實の國家乃至は人間の價値を强調するときは、平等の取扱を前提とする法及び國家は千差萬別なる個性によつて結局否定されることとなる。なほこの立場に於ける法律及び國家觀は自由主義と民主主義に歸する。(b)團體の人格を地盤とする團體價値(Kollektivwerte)を最高目的とすれば、法の窮極目的は全體としての國民(Nation)そのものであり、國家は有機體であつて恰も人體に於ける如く一部が全體の爲に存し全體が部分の爲に存するものに非ずと解される。(c)人の所造を地盤とする所造價値(Werkwerte)を最高目的とするときは、個人或は團體の人格は人の所造たる文化の爲に存すべきものとなる。但しこの立場は實践的には主張されてゐない(註二二)。

右の立場のいづれを選擇すべきやは相對主義の能く決するところではない。上述の如く主權の概念は本來自然法の基礎を前提とする。ここに於いて法及び國家は個人とは獨立の目的・價値を與へられ、個人も亦國家に對して獨立の價値を認められる。この意味に於ける自然法は上より與へられるもので、個人若くは國家に基礎を有するものではない(註二三)。

これを我が憲法について見れば、純粹なる個人主義は否定される。それは國家を經驗的な個人の利益に從屬せしむるもので遂には無政府主義・國家否定に導くから、我が憲法の精神と矛盾する。次に團體價値を窮極價値とし法及び國家をそれ自身目的とする世界觀に立つときは、個人の自由は國家の中に止揚される。然るに憲法上諭には「我カ臣民ノ權利及財産ノ安全ヲ貴重シ及之ヲ保護シ此ノ憲法及法律ノ範圍內ニ於テ其ノ享有ヲ完全ナラシムヘキコト」を宣言せられ給ひし外、憲法の條項就中第二章の規定は臣民各個人の人格の尊重を前提とするから、我が憲法上これを採ることを得ない。すなはち自然法は制定法・慣習法と相並んで我が憲法上重要な法源であるのみならず、この兩者の存立の基礎であり又正當なる解釋の標準といはなければならぬ(註二四)。

(註二二) Radbruch, a. a. O. S. 50 ff., 58 ff.

(註二三) vgl. Thomas Aquinas, Summa theologica, 12, quaest, 90—— 中世にては神のみ憲法制定權

(potestas constituens) を有するものと信ぜられた。カルヴィン派の反暴君論者の理論も亦同様である(C. Schmitt, Verfassungslehre S. 77)。

(註二四) 憲法義解第二二條の註に曰く「以下各條ハ臣民各個ノ自由及財產ノ安全ヲ保明ス蓋シ法律上ノ自由ハ臣民ノ權利ニシテ其ノ生活及智識ノ發達ノ本源タリ自由ノ民ハ文明ノ良民トシテ以テ國家ノ昌榮ヲ翼贊スルコトヲ得ル者ナリ故ニ立憲ノ國ハ皆臣民各個ノ自由及財產ノ安全ヲ以テ貴重ナル權利トシテ之ヲ確保セサルハナシ」(三四頁)。すなはち社會上有害ならざる限り臣民をして天賦の能力を發揮せしむることは我が憲法の精神であり、換言すれば警察命令の大權を留保しながら、憲法第二章は法治主義の原則を例示するものである.(私の、法の本質と憲法、七九頁以下參照)。

以下に私は右の如き自然法が憲法の解釋に如何なる影響を及ぼすかの問題、殊に法治國の理論について考察を試みる。それは第一に立憲制度の批判と憲法改正權の限界であつて、立法權に表はれる主權が他律的拘束に服することである。第二は所謂自由權(或は基本權)に關する具體的な規定が行政權のみならず立法權をも制約することである。

三

第一次歐洲大戰以前の公法學に著しい實證主義的國法論は、法に獨自の存在・價値あることを否定してこれを國家が定立し若くは承認する規範と解し(註二)、又國家の統治權を法の外に存する社會學的實力として前提する(註二)。かかる實證主義は夙に實定法に關して論ぜられたところである。自然法が超國家的なのに反して、實定法は人類の團體の自由な所產に過ぎず、合目的性の見地より自由に變更を蒙むる手段に他ならない。この實證主義の下に、法の理念の內容は功利主義を以て、又その效力は實力觀念を以て置換へられ、法の目的たる正義と法的安全はこれ等の背後に退くに至る(註三)。

このラーバンド・ケルゼン流の論理的形式主義は從來强く公法學界を風靡したのであつて、エリネックによる目的概念の主張もこの大勢を左右するものではなかつた。然るにミュンステルに於ける獨逸國法學會の會議(一九二六年三月)以來この實證主義が批判せられ、殊にワイマール憲法第二篇の基本權の規定に關して新なる精神科學的概念構成が强調されるに至つた(註四)。

(註一) Jellinek, Allgemeine Staatslehre, S. 366.

(註二) Gerber, Grundzüge, S. 21 ff.; Laband, Staatsrecht II, S. 4; Seydel, Grundzüge, S, 12.

(註三) この實證主義は世界觀の對立には何等觸れるところなく、概念構成を專ら實定法の範圍に限局するものである (Schwinge, Der Methodenstreit in der heutigen Rechtswissenschaft, S. 12ff.)。それは、國家が法に據り且つ法の爲に存するものと主張する古代ゲルマンの觀念を根本的に修正したものであつた(Gierke, a. a. O. S. 266)。後第十九世紀の初頭歷史法學派が擡頭して自然法と實定法の區別を止揚した。すなははち法と國家は相共に發達し、相互に規定せられ、且つ拘束されるものと説明する。けれどもこの哲學的基礎は薄弱であり、次第に本文に述ぶる如き實證主義に推移し、自然法を否定するに至つたのである(Ibid., S. 317)。

(註四) 例へば Erich Kaufmann, Veröff D St R Lehrer, III, S. 3; Triepel, Arch Öff R. Bd. 40 S. 364 ff.; Thoma, Handbuch des deutschen Staatsrechts I, S. 4 ff.; Anschütz, Der Verfassung des Deutschen Reichs, 12 Aufl. S. 569.

一　私はこの新しい傾向を示す者としてスメントとカール・シュミットを引用しよう。スメントは國家の本質を流動する生命に求める。この生命は個々の生活現象を惹起する全體ではなく、統合關係に立つ個々の生活現象中にのみ存し、且つこの統合を絶えず更新し構成する過程にのみ存するのである。彼の所謂統合(Integration)が國家の本質よりも寧ろその作用・心理的過程を意味することはいふまでもないが、國家を意思ある團體(Willensverband)、その統合を意思の活動(Willensakte)とする以上は、必然に國家の本質的な目的・職分を前提するもので、國家は自己に課せられた超經驗的な意味關係(Sinnzusammenhänge)を實現するものである(註五)。この目的に對する活動の合法則性が超個人的な團體を構成せしむるのであつて、この場合に後述する國民の同質(Homogenität)は必要ではない。この超國家的目的による統合は自然法を想起せしむるもので、それは法治國に至る途の他、國家至上主義に發展する傾向をも含むとはいへ、從來の形式的な實證主義とは明かに區別される(註六)。更に彼は憲法を觀念的な意味體系としつつ、猶これを理解する爲には成文憲法典の他、社會學的な諸種の力を援用するを要するものとした。國家はその統合過程の中に生活事實をもつが、憲法はこの過程の個々の部分を規定する――正確にいへば活動せしむる――に過ぎない。併しながら對象を生活事實と意味秩序の兩面から把握することは、價値を超克する (wertüberwindend) 信仰の世界を前提して初めて可能なるものといはなければならぬ(註七)。

(註五) Smend, Verfassung und Verfassungsrecht, S 18, 56 故にスメントの所論はリットの現象學を基礎とするに拘はらず、これと異るものといはねばならぬ。リットの geschlossener Kreis (Theodor Litt, Individuum und Gemeinschaft, 3 Aufl., S. 239) は超個人的な團體の本質を構成せず、そこには唯各個人の本質のみ存在するに止まり、各人は相互に他人を辨證法的對象として自己の中に受納するのである。vgl Hamel, Das Wesen des Staatsgebietes, S, 149 ff.

(註六) vgl. Gierke, a. a. O. S. 279. 元來國家を有機體と觀ることはこれに神祕的な生命の力を認めるもので、歷史的乃至は宗教的な非合理主義を含む。統治者を承認するものは國民の意思ではなく、歷史と宗教、正當性と神の恩寵或は統治者の受くる特別恩寵(Charisma)等すべて上より來る。そしてラートブルフによればスメントの統合理論は、靜的な國家有機體説を動的理論に變じたるものである (Radbruch, a. a. O. S. 66 Anm. 2)。

(註七) Smend, a. a. O. S. 77, 78 スメントはウイーン學派の法律學が意味秩序としての法秩序のみを考察し生活事實としての法秩序を全く看過せることを非難し、對象を兩面より認識することは避くべからざる思考の振動（Oszillieren des Gedankens）（Litt, a. a. O. S. 373ff.）と斷定する。けれども實在と價値の對立を止揚することは宗敎の世界に於いて初めて可能である。宗敎はすべて存在するものの最終の肯定、すべてのものの上に肯定とアーメンとをいふ微笑する實證主義である（Radbruch, a. a. O. S. 3）。この世界に立たざる限りスメントの立場は方法的に非難さるべく、その統合は本質の認識（Wesenserkenntnis）と價値判斷（Werturteil）を混同するものとなる（Kelsen, Der Staat als Integration, S. 51）。

スメントと相並んで注目すべきはカール・シュミットである。彼は先づ近世の諸憲法に共通なる理想をブルジョア法治國(der bürgerliche Rechtsstaat）と解し、その特色として、國權の濫用に對し個人の自由を保障すること、これが爲に國家的生命のあらゆる表現を規範化の系列中に限局し、又國家活動の悉くを機關の權限に變ぜんとすることを擧げてゐる。この法治國の原理には自然法が極めて明瞭に表はれるが、その詳細は後に讓る(註八)。

次に彼は憲法（Verfassung）の概念を憲法的法律（Verfassungsgesetz）から區別する。前者は憲法制定權者（Träger der verfassunggebenden Gewalt）を通して政治團體たる國家が決定した自己の形式態樣をいひ、後者はこの憲法を前提とする法律で、その內容が憲法の執行規定なるときか或は變更手續を特に加重したときである(註九)。一般の法規範に於ける如く憲法的法律も亦その上位の憲法に規範の基礎を見出すのであるが、憲法自體の妥當性は何處に求むべきか。彼によればすべて政治團體(politische Einheit)の價値・存在理由はその規範の正當なりや若くは效用ありやに存せず、團體の存立自體に求められる。憲法はこの政治的實在より生じた政治的決定に基づくもので、その妥當性の根據は本質的に實存性(das wesentlich Existenzielle)を有する(註一〇)。併しながら彼の所謂憲法制定權者たる君主又は國民には自己を正當ならしむる價値(正當性 Legitimität)が豫定される。第一に君主は連綿たる王朝(Kontinuität der Dynastie)に基づいて國家を表現する。それは人格化せる神若くは家父の觀念を以て説明され、從つて本質上政治的なものに非ず、神學的・世界觀的なものに屬する(註一一)。次に國民が國家概念を規定する地位に立つのは、それが政治活動の能力ある統一體たることの外に各個人が本質的に共通な要素ある場合である。或は物理的・倫理的に共通性が意識せられ、或は宗教上の信仰を共通にし、或は歴史的・政治的に同質性を帶びる等の如し(註一二)。從つて一方に於いて憲法制定權者の無制約が主張されるのに拘はらず、ここに於いても彼は國民に特定の實質的價値あることを前提とするのである(註一三)。

(註八) Carl Schmitt, Verfassungslehre, S. 36ff. ボルシェヴィスムスの露國及びファシスムスの伊太利が例外なるはいふまでもない(Ibid., S. 40)。

(註九) C. Schmitt, a. a. O. S. 20 ff, 76. この理論は Sieyès が pouvoir constituant を pouvoirs constitués より區別するのと同一思想である (vgl. Ibid., S. 77 ff., 98)。すなはち憲法は前者によつて創造せらるるのに反して、後者は、憲法及び憲法的法律に規律さるるものである。なほここに所謂憲法に屬すべきものはワイマール憲法についていへば、民主主義・共和政・聯邦制・議院内閣制及びブルジョア法治國の特色たる基本權・權力分立制である (Ibid., S. 23, 24)。

(註一〇) Ibid., S. 22, 76.

(註一一) Ibid., S. 87 ff., 282ff. 固より君主を人格化せる神若くはこれに類似せるものと見るときは、世界國家の要請を含む可能性があり、國家の多數存在することに說明の困難を感ずる。けれども又反對に君主を premier magistrat に過ぎずと見ることは、君主政の正當なることを基礎づけるものに非ず、又 pouvoir neutre の說明は共和政の大統領にも適用されるもので、いづれも正當ではない (Ibid., S. 286, 287)。君主が政治的自己規定の完全なる自由をもたず、少くとも一定の王朝・王位繼承の順位等に拘束せらるることは、シュミット自身も認める如く君主が本來の無制約なる憲法制定權者と異り、特定の價値を前提とすることを示すものである (vgl. Ibid., S. 81)。なほこの點に關してスメントは君主の本質を歷史的傳統的價値により國家を統合する人格なることに求める (Smend, a. a. O. S. 28, 29)。

(註一二) Ibid., S. 79, 228 ff. シュミットによれば選擧權・兵役義務・公務に就く條件等の平等は直接には民主主義に於ける平等の內容を構成するものでなく、寧ろ民主主義に於いては國民各個人が同質なる結果としてこれ等の平等なる法制を生ずるのである (Ibid., S. 227)。

（註一三） 近世初期の自然法論では、主權が法的原因に基づいて存する場合に限りこれに主權者としての權利を認めた。そして主權が法的限界を踰越せるとき、何によってこれを正當ならしむるやについては說が分かれてゐる。國民主權論者は憲法の變更に對して國民が同意せるときにのみ正當と認める。就中ロックはこの同意が强制されたのでないこと及び現實に明示されることを要すと主張した。反對に統治者の主權を主張する學說では他の適法なる統治者が主權を拋棄せることに正當なる所以を求める。然るにグロチウス以後次第に、主權を事實上完全に保持する者には直ちにその正當なる權利の行使を認むべしとする思想が、自然法上樹立されるに至った。シュミットの所說も亦これと軌を同じうする（vgl. Gierke, a. a. O. S. 305 ff.）。

二　右のやうな憲法學說の傾向から次の法理が演繹される。第一は立憲制度の批判であって、奔放な形式主義若くは機能主義（Funktionalismus）の拒否である。

從來法律の支配（Herrschaft des Gesetzes）すなはち法治國主義の論據として、議會の定める法律が權力分立の機構を通して自由を保障する手段なること、及び國民が現實若くは觀念上法律に同意を與へるから、その內容が自律的理性を滿足せしめ以て自由平等の理想に一致することが擧げられる（註一四）。前者は形式的又は消極的な論據であり、後者は實質的又は積極的な論據である。立憲制度が政治的・經濟的權力の專制に對して個人の自由を擁護する消極的機能に過ぎないとすれば、それ自體は何等自己を正當ならしむる固有の力（ihm eigentümliche legitimierende Kraft）がない（註一五）。

けれども立憲制度の有する統合原理すなはち合法性（Legalität）は實質的な價値とただ相對的に無關係なのであつて、換言すれば自然法と一方に於いて獨立するが、他方に於いて關聯するのである。それは本來國民が同質なることを豫定し、これにより議會の單純な多數決に基づく法律の中に、すべての法制に於ける正義の最終の保障を認める。多數決は少數者を壓迫するものではなく、議會に潜在する一致がこれにより表現されるのに過ぎず、法律の核心たる正義はその制定手續に伴ふのである（註一六）。すなはち法律が同質なる國民の自律的理性を滿足せしむることは、それが各人の理性の光に自明なる自然法に合致することを意味する。

立憲制度に對することの認識は、法律の支配に一定の限界を豫想せしむると共に（註一七）、この機能主義若くは機能的統合の他に實質的價値による國家の統合の必要を明かにする。蓋し合法性にあつては、すべての見解動向について議會の多數を制する機會が無條件に均等なることを要し、然らざるときは少數者が無條件に違法として壓迫されることになるから、合法性の名による反抗權（ius resistendi）（註一八）の否定は著しき背理となる（註一九）。然るにこの信念は現在かなり動搖してゐる。これが憲法上君主の獨裁大權・國民の基本權の規定が設けられ、又裁判所による法律の實質的審査權が論ぜらるる所以である。自己に固有な價値內容により國家を統合することを、合法性に對して正當性（Legitimität）の原則といふ。自然法に窮極の基礎を有して國家を統合する價値は、合法性の原理を通して間接に作用するのみならず、これとは別個に直接發動し、その結果法律の支配を制限するに至るのである。

(註一四) ヘラーによれば、クラシカルな法治國概念は二個の思想に胚胎する。その一は自然法に內在する自律の思想であつて、彼はこれを實質的な法治國思想と稱する。ここに法律の優勝性の理由があり、法律の形式と內容は不可分の關係に立つ。その二は組織技術上 (organisationstechnisch) の法治國主義であつて、これが權力分立主義である。それは法的安全を保障する技術的手段に過ぎない (Heller, Veröff D St R Lehrer IV, S. 102 ff.)。なほここに所謂自由が身體の自由・所有權の不可侵の如き自然法的內容を有し、無內容な形式的要請に止まる正義 (vgl. Radbruch, a. a. O. S. 50) と異ることは後述する。

(註一五) Smend, a. a. O. S. 115 スメントは政體を統合體系 (Integrationssysteme) の類型と解するのであるが、君主政及び君主に代るべき統合內容ある民主政と異り、立憲制度それ自體は固有なる本質的內容を缺き獨立の政體たり得ずと解する。蓋し彼は議會制度の本質を機能的統合に求めたからである (Ibid., S. 38)。vgl. Karl-Festschrift III S. 21 ff. 我が國に於いても君主國體・民主國體の如きが主權の所在による區別なるに對して、立憲政體・專制政體の如きは主權の行使形式による區別なりとして、國體と政體を區別する見解があることは、周知の通りである。

(註一六) Carl Schmitt, Legalität und Legitimität. S. 22 ff. シュミットによれば、自由と平等とは異る原理である。前者は後述する法治主義の基礎であり、後者は本來民主主義の骨子である。民主主義は現存する民族が常にその儘——代表（Repräsentation）によらず——政治活動を爲し、從つて政治團體そのものと同一を意味する要請（Prinzip der Identität）であつて、それは上述の如く民族に共通の性質あることに基づく。例へば國民及び議會に對する大臣責任（責任政治の原則）・直接民主主義の如し。立憲制度が價値と無關係なる一面ある點で機能的なるに反してこれ等は專ら國民の實質的な價値（すなはち Legitimität）に基づくのである。vgl. Radbruch, a. a. O. S. 62 ff.

（註一七） 法律の支配が決して法律内容の無制約な變化すなはち議會專制主義（Parlamentsabsolutismus）を意味せざることは後述する。

（註一八） 反抗權は古くより、主權が自然法の限界を踰越せるときに主張された。殊に國民主權論に立脚する反暴君論者（Monarchomachen）は暴君に對して國民全體が反抗することを、主權の制限に非ずして却つて主權の行使なりと考へた。これに反して主權の形式的全能を主張する論者は實質的に違法な主權の命令も亦有效であり、人民には良心に背く命令に對して殉教者の消極的反抗のみ許容されるものと論じた（Gierke, a. a. O. S. 307 ff.）。

（註一九） 殊に多數者は、不確定なる裁量を含む概念を取扱ふに際して著しき政治的利益を有する。その疑はしき場合にも適法なりとの推定を受け、又その下命は直ちに執行され得るからである（Carl Schmitt, Legalität, S. 35, 36）。

三　第二の問題は憲法改正權の限界である。固より憲法はこれに内在する統合原理によつて、それ自身彈力性を有し變遷することあるを免れない。憲法の特色はその對象が政治的性質をもつことにあり(註二〇)、殊に私法規定の如く意思交渉の限界を設定する爲よりも、寧ろ積極的に綜合することを目的とするからである。從つて上述した「事實の規範力」は憲法の領域に於いて特に著しい(註二一)。併しながら意味秩序としての憲法とその對象たる政治的實在とは、因果關係はあるが論理關係は認められない。憲法の理念は必然に國家現象なる素材に規定されるけれども、後者によつて前者が基礎づけられるのではない。

憲法改正權の限界は實證主義の下に立法權萬能の時代に於いて、容易に看過される所である(註二二)。けれども第一に憲法自體の同一性乃至は連續性は改正に當つても常に維持されなければならぬ。憲法は國家を統合する基礎・目的を與へるものであるが、憲法改正權は畢竟憲法に基づく一の權限に過ぎないから、これを以て憲法の同一性を害することは出來ない(註二三)。直接憲法の正文に變更を加へることは、この限界の下にすべて適法である(註二四)。それが内容の追加(Verf Ergänzung)削除(Verf Aufhebung)修正(Verf Substitution)、效力の一時的若くは部分的停止(Verf Suspension)のいづれなるを問はない。第二に間接の憲法改正、いひかへれば直接の憲法改正を憲法改正法律を以て回避することは、すべて憲法違反である。ここに憲法改正法律とは憲法の正文を變更せずただ憲法の改正と制定手續のみを同じうする法律を意味する。かかる法律が實質上憲法規定に牴觸し、その效力を例外的に阻却することとすなはち憲法の破毀（Verf Durchbrechung）は憲法違反といはなければならぬ。かかる法律は性質上規範ではなく具體的事件又は期間に制約される處分（Massnahmen）に他ならない。そしてシュミットのいふやうに、規範に對して具體的事實の優越を主張し得る者は主權者である。主權者は上述のやうに法律に拘束されず、contra legem の處分を行ふことが出來た。然るに法治主義の徹底するに及び處分は常に規範に拘束せられ、法規命令の先占區域では praeter legem の處分すら否認される。故に憲法の破毀も亦憲法制定權の發動によらざる限り不可能事に屬する（註二五）。更に右の如き憲法改正法律が憲法の定める立法府の權限を超えることとすなはち憲法の踰越（Verf Überschreitung）も亦違憲である。蓋し憲法の定める權限の分配は直接に憲法自身の改正なくしては動かし得ないからである（註二六）。例へば獨立命令が憲法の規定する授權の範圍を逸脫するとき、この種の獨立命令を一般的に憲法改正法律を以て適法ならしむることは不可能である（註二七）。又我が憲法第七三條の手續による法律を以て、直ちに皇室制度を規定するときは憲法の踰越である。憲法の改正には必ず帝國議會の議を經ることを要し、そして皇室典範の改正は帝國議會に付すべからざるものであるから、第七四條の規定自身を先づ第七三條の手續を以て改正するに非ざれば不可能である。なほ憲法が法現象の全般に互つてこれを規定事項とする結果、憲法の踰越は通常憲法の破毀を伴ふけれども、兩者は概念上區別される（註二八）。

固より君主政に於いては立法權の中に君主の强大なる統合價値が包含されるから、立法權殊に憲法改正權の限界は通常問題とならない(註二九)。併しながら憲法の同一性が憲法改正權を拘束することは、憲法が一般の國權に對する法規範たる以上は、明瞭であらう。ブライスの示す硬憲法と軟憲法の區別は、前者についても憲法の變遷あることを認め、後者についても社會心意に基づく固定性を認めるとしてもなほここに意味をもつ。帝國憲法上諭には第七三條の改正手續を以てするの外は「朕カ子孫及臣民ハ敢テ之カ紛更ヲ試ミルコトヲ得サルヘシ」と宣示せられるが、これは明かに憲法がこの意味の規範なることを認め給ふたのである。なほ憲法上諭に「將來若此ノ憲法ノ或ル條章ヲ改定スルノ必要ナル時宜云々」とあり、又憲法第七三條に「將來此ノ憲法ノ條項ヲ改正」とあることから、憲法全體の廢止又は停止が違憲と論定せられ、更に萬世一系の直接君主國體も亦憲法の改正を以て動かし得ざるものとされることも結論に於いてここに述べるところと一致する(註三〇)。

(註二〇) 行政法が技術法なるに對して、憲法は統合法と考へることが出來る。すべて憲法の規定に關する問題は他の部分の規定と獨立に理解すべきではなく、その實現せんとする意味關係、すなはち統合機能をもつ體系の一要素として考察しなければならぬ (Smend, a. a. O. S. 130 ff.)。

(註二一) 殊に元老・議院內閣制の如き習俗的規律と慣習法の區別は幾分不明瞭なるを免れない。更に帝國憲法の規定が甚だ簡潔なる爲に、法律命令による補充及び種々なる解釋の餘地が多く、憲法の變遷は一層著しくなる。例へば榮典授與の大權が國務大臣の輔弼によらざることは公式令第一六條乃至第二一條等の定むるところであり、帝國議會の權限・國務大臣・樞密顧問の地位は議院法及び官制の改正によつて或る程度左右することが出來る。

(註二二) 獨逸帝政時代に於いて、その憲法第四條に列擧する立法事項の他に聯邦が憲法改正手續を經た法律を以て任意の事項を規律することを得るかが問題となつた。レンネ・ツァハリエ・ベーゼラーの如き反對説は新に同條を改正して追加した事項に限り聯邦の立法が可能としたが、ラーバントに代表される通説は、憲法改正の要件を具ふる法律は直接憲法の改正を爲さざるも憲法規定と牴觸するを妨げざるものと論じた(Laband, Staatsrecht II, S. 93 ff)。

(註二三) C. Schmitt, a. a. O. S. 102 シュミットは憲法の改正 (Verf Änderung) と區別すべきものとして、國家の同一性までも失ふ場合 (Verf Vernichtung) 憲法の同一性を失ふも國家は變更せざる場合 (Verf Beseitigung) を擧げる。前者は革命であつて、憲法と共に憲法制定權力をも廢止することをいふ (Ibid., S. 94)。後者は憲法制定權力を保有しつつ既存の憲法を除去するものである (Ibid., S 99 ff)。

(註二四) Karl Loewenstein, Erscheinungsformen der Verfassungsänderung, S. 114, 141, 146, 157. レーヴェンシュタインはかくの如く變更が憲法の正文について明示される場合を直接的憲法改正法律 (unmittelbare Verf Änderungsgesetze) といひ、憲法の正文に直接變更を加へず、しかも實質上これと牴觸するものを間接的憲法改正法律と稱してゐる (Ibid., S. 34)。

(註二五) C. Schmitt, a. a. O. S. 107 ff. この法治主義の發展に關しては私の、法律による行政、七七頁以下。

(註二六) この法理は立法權の行使に當つて命令の授權とその個別的委任を區別する公法理論である（私の、法律による行政、六七頁以下）。

(註二七) レーヴェンシュタインはこの場合を適法とし(Ibid., S. 124)、憲法が規定することを暗默に拋棄せる事項、例へばワイマール憲法に於ける司法的憲法保障制の如きと同樣 (Ibid., S. 127) に憲法規定の間接の追加(Verf Erweiterung) として說明するが、私は贊成出來ない。

(註二八) 例へば特定事項を憲法改正法律によらざれば變更するを得ずと規定する法律は、憲法第四七條の破毀なると同時に第五條の立法權行使の規定の踰越となる。vgl. Loewenstein, a. a. O. S. 206, 218.

(註二九) 殊に憲法制定權者としての君主は、憲法を欽定せる場合は勿論、これを發布するに先だち議會の協贊を經た場合と雖も、依然として主權を保有し、國民に主權を認むるものではない。從つて君主の行使する憲法改正權も亦無制約なるかの如き外觀を呈するのである (vgl. C. Schmitt, a. a. O. S. 82)。

(註三〇) 所謂憲法制定權者は我が憲法上認められない概念である。憲法義解第七三條の註に曰く「國體ノ大綱ハ萬世ニ亙リ永遠恆久ニシテ移動スヘカラスト雖云々」又曰く「改正ノ權既ニ天皇ニ屬ス而シテ仍之ヲ議會ニ付スルハ何ソヤ一タヒ定マルノ大典ハ臣民ト俱ニ之ヲ守リ王室ノ專意ヲ以テ之ヲ變更スルコトヲ欲セサルナリ」（一〇八頁）。更に第四條の註に曰く「君主ハ憲法ノ條規ニ依リテ其ノ天職ヲ行フ者ナリ故ニ彼ノ羅馬ニ行ハレタル無限權勢ノ說ハ固ヨリ立憲ノ主義ニ非ス……是ノ說ハ我カ憲法ノ主義ト相發揮スルニ足ル者アルヲ以テ玆ニ之ヲ附記シテ以テ參考ニ當ツ」（六頁）と。

四

國家權力に對して個人の自由を保障する法治國の思想は、前節に述べた主權乃至憲法制定權の思想とは本來反對の傾向に屬する。それは gloire de l'Etat に對して liberté du citoyen を主張し、國家の政治的存立よりも現存の法秩序及び個人・團體の既得權を尊重する思想である（註一）。これには二つの根本原則がある。

（註一） Montesquieu, Esprit des lois, XI, cap 5 et 7. その結果以下に述ぶる所の外にも、法律の支配すなはち法律の留保及び優勝性（私の「法律による行政」二八、二九頁）、司法權の獨立・行政裁判制度等はこの要請である。これに反して上述せる主權の法理は實定法上の權利を主權者が自由に侵犯し得るものと解する。これによれば自然法も亦主權に對しては何等强行性なく、主權者と臣民の間に權利義務の關係の成立を否定する（Gierke, a. a. O. S. 268, 283 ff., 293）。

一　その一は權力分立に示される組織原理（Organisationsprinzip）であつて、それは就中法律が一般的法規たることを要求する。ここに本來相異る原理なるに拘はらず自由と平等とが關聯する。その法理の根據は法律の支配が權力による恣意の支配を排斥することを目的とし、從つて法律が規範すなはち普遍的內容あるものたるを要すとするにある。けれどもこの voluntas に對して ratio を主張する根據は、上述した憲法の破毀を違憲とする根據とは異る。後者が contra legem の處分を違法とするものなるに反して、前者は praeter legem の處分を違法とするにある。故に必ずしも個別的な處分を內容とする法律を違法とするのではなく、ただ法律を命令又は處分の大前提たらしむるのである(註二)。

ここに注意すべきはこの要求が、殊に國民の基本權の規定に留保された法律について主張されることとである(註三)。これによつて基本權の規定には後述する制度及び組織の保障の外に、更に有力な保障を認められるに至つた。蓋し國家組織・外交・軍政・財政の如き國家の維持存立を直接の目的とする作用にあつては、法律の一般性は國家統合の原理の背後に隱れるのであるが(註四)、法目的・刑罰目的及び內政の作用はこれと異り、法の理念及び法の定型性に支配せられ、從つて合理主義的な法律概念が是認されるからである(註五)。法律內容が無制限に變化し得ること(unbeschränkte Variabilität des Gesetzesinhalts)を認むる學說に於いても、民事刑事に關して一般準則を現實に適用するのは司法權の任務であつて立法權の任務に非ずとし、この場合に法律內容が永續普遍性あるべきことを容認する(註六)。法律に定むる裁判官の裁判を受くる權利(憲法第二四條)に所謂法律が、一般的法規たることを要するのも同一法理である(註七)。所有權を制限する法律も一般的法規を意味し、特定人の所有權を制限する法律は公用徵收の處分として相當の補償を伴ふべきものと解される。蓋し權力分立の原則は立法と司法・行政との混同に反對し、從つて自由及び財產に對する具體的な侵害が直接法律を以て行はれず、法律に基づき司法又は行政機關によつて實現されることを要求するから、公用徵收の法律は具體的な公用徵收に非ずして、その要件・手續を一般的に規定するものでなければならぬ(註八)。更に憲法第二三條の規定する罪刑法定主義は同條に留保された法律の內容が普遍性あることを要求する。然らざればこの原則の本質たる法治國的意義は全く喪失するからである(註九)。

(註二) 形式的意義の法律の內容が一般的規範たるべしとする理論は夙にゲオルグ・マイヤーの主唱したところであるが(私の、法律による行政、九頁以下)、比較的最近まで所謂自由及び財產の形式(Freiheits und Eigentumsformel)によつて驅逐されてゐた。この形式は具體的に實在する主權の代りに法律の支配を以てせんとするものではなく、君主の主權に對して國民の主權を主張するものである。故にこの思想の下では法律の普遍性は問題とならず、且つ容易に立法府の萬能すなはち法律內容の無制約を認むる傾向をもつ(vgl. C. Schmitt, a. a. O. S. 148, 149)。

(註三) C. Schmitt, a. a. O. S. 138 ff.; Thoma, in "Nipperdeys Grundrechte und Grundpflichten" I, S, 34 ff.

(註四) vgl. Smend, a. a. O. S. 83.

(註五) Smend, a. a. O. S. 150. これはワイマール憲法第四八條の處分 (Massnahmen) の概念に關聯して論ぜられるところである (C. Schmitt, Veröff D St R Lehrer, I. S. 101 auch 96 ff.)。

(註六) 司法權行使の獨立は訓令・職務命令等に對して裁判官が拘束されざることを意味するが、若し個別的な指揮が法律の形式を以て與へられることを得るものとすれば、いはば立法者の訓令(?)に服することとなる (C. Schmitt, Verfassungslehre, S. 155)。 なほこの點に關して宮澤、法律による裁判(筧教授還暦祝賀論文集所載)參照。

(註七) 佐々木、日本憲法要論二五三頁、なほ私の前掲、一三八頁以下。

(註八) ワイマール新憲法の起草に當り、公用徵收(第一五三條二項)を廣義に解することが强く主張された。すなはち從來の公用徵收の概念に該當せざる場合にも、法律が行政處分を俟たず直接に私權を侵害せること、及びこの法律が特定人若くは比較的狹き範圍の人に限られて平等の原則に反することの二要件を具ふるときは、公用徵收と認められるに至つた (Anschütz, Die Verfassung des Deutschen Reichs, 1930. S. 611, 612)。

(註九) 刑法に於いては構成要件の充足 (Tatbestandsmässigkeit)が一般に承認されてゐる。vgl. Gerland, in Nipperdeys Grundrechte, I. S. 381.

二 その二は個人の自然の自由が原則として尊重さるべく、これを侵害する國家の機能は制限を蒙むるとする配分の原理（Verteilungsprinzip）であつて、それは殊に臣民の基本權を强調してここに立法權の限界を要求する（註一〇）。　基本權の憲法的意義は近年再び注意されて來たところで、行政權のみならず立法權に對しても國民の實質的身分（materialer Status）が保障されるとするにある。スメントによれば、それは憲法上國民各自の自由平等を保障し、以て國家の文化體系と國民の統合價値を定立する。從つて基本權の規定が法原理に止まる場合にも、立法權を拘束し裁判所に於ける利益較量の標準となり、法律がこれと牴觸するときは違憲の效果を生ずる。又カール・シュミットは基本權を超國家的な人權と解する。これによれば民主主義の國家を前提とする參政權及び國家組織を前提とする受益權は基本權から除外せられ、又基本權が憲法の同一性を決定する爲に、その規定は憲法改正の法律を以てするも動かすことが出來ない。その大要は別稿に讓り（註一一）、以下には主として組織及び法制の保障（institutionelle und Instituts＝Garantie）を述べる。

（註一〇）　元來基本權の憲法規定は君主の强大なる統合機能の下に於いては、主として行政權を覊束する行政法的意義あるに止まる。ここに於いて個人は行政權の主體としての國家に對し公權を與へられると共に、行政權の命令及び處分は原則として法律に基づくことが要求される（私の、前掲、七七頁以下）。

（註一一）　私の、前掲、一二三頁以下。

基本權の規定が國家組織に關する憲法の規定と異り、技術的性質乏しく精神的内容を主とする結果その歴史的考察は殊に必要である。中世の英國に於ける民權は等族の權利であり、構成的な憲法原理(konstituierendes Verfassungsprinzip)であつたが、近世の合理主義的自然法と宗教的解放の要求を實現した自由權は個人主義的法概念であつて、國權の干渉を拒否する消極的身分(negativer Status)であつた(註一二)。故に個人の主働的身分(aktiver Status)を要求する民主主義とは本質を異にする。ただ立法權萬能の實證主義的法制にあつては自由權が國の立法權に對抗出來ないから、この矛盾は殆んど問題とならなかつたが(註一三)、上述の如く立法權も亦他律的制約を蒙むるとする自然法的法律觀に於いて、自由權は再び本來の超國家的人權に復歸すると同時に、それは民主主義の制約を受けここに法制の保障及び組織の保障に關する基本權が發展するに至る。すなはち立法權に對する信頼が減じ且つ社會的留保の必要が認められると共に、自由權を保護する法制及び組織(Schutznormen und Schutzeinrichtungen)自體が保障されることになる(註一四)。それは個人の自由を直接保障するものではなく、ただ法制又は組織の保障の限界内でこれに保護を與へるのに過ぎない(註一五)。從來の自由主義の基本權が單なる綱領の宣言若くは單純な法律の留保に止まるに反して(註一六)、獨逸共和國憲法には本來個々の法律を以て規定さるべき明瞭な法制が數多く包含され、しかもそれが憲法改正手續を經た法律に非ざれば侵し得ざるもの(トマの所謂 verfassungskräftige Grundrechte)なる(註一七)ことは、一見して著しき矛盾である。それは個人主義に立つ基本權の保障がその重要性を減じて、基本權の規定がその意義に變遷を蒙れることを示すものに他ならぬ（註一八）。

（註一二） Magna Charta libertatum, Petition of Right, Habeas-Corpus-Acts, Bill of Rights 等の規定するところは、個々の英國民の權利ではなく全國民に對する英國王の義務であつて、國王と全國民とはこれにより國家機構に於いて結合されたのであつた（Ernst Rudolf Huber, Arch ÖffR. N. F. XXIII, S. 3, 4）。然るに近世の個人的自由權は全くこれと異り（C. Schmitt, bei Handbuch des Deutschen Staatsrechts, II S. 578）、良心と信教の自由の主張に基づき（Jellinek, Die Erklärung der Menschen-u. Bürgerrechte, 1927, S. 42ff.）、米國より佛革命を經て大陸の諸憲法に繼受されたのである。

（註一三） 獨逸共和國憲法の起草に當り、プロイスは基本權の規定を削除する意向あり、又フリードリヒ・ナウマンは民主主義を以て徹底的にこれを修正する提案をした（vgl. Smend, a. a. O. S. 166 Anm. 1; C. Schmitt, a. a. O. S. 162）。これに反して君主の下、官僚政治の强大なる時代には、民主主義は下院議員の公選・國務大臣の政治責任を認むるに止まり、自由權もただ行政權の獨立なる活動を阻却するに過ぎない。

（註一四） 例へば公法人たる宗敎團體の組織的保障（獨逸共和國憲法第一三七條）、勞働者及び企業者の組織・聯合の保障（第一六五條）は、自由主義的憲法の精神より見れば宗敎及び良心の自由（第一三五條）勞働條件及び取引條件の爲の結社の自由（第一五九條）の追加補充的な保障（Konnex-und Komplementärgarantien）に過ぎないけれども、それは國家に對して組織又は制度そのものを保障するもので、個人の一般的自由權とは別個の保障と解さなければならぬ（C. Schmitt, Freiheitsrechte und institutionelle Garantien, S. 29

ff.)。

(註一五) 例へば「官吏ハ其ノ既得ノ權利ヲ侵サルルコトナシ」(獨逸共和國憲法第一二九條)に於いて、個々の官吏に減俸されざる權利を認むるのは極端なる個人主義的見解である。この規定は專務職官吏(Berufsbeamtentum)の組織を保障するもので、個々の官吏にその組織內の地位に相應しき俸給、恩給を保障することは反射的效果に他ならない(C. Schmitt, Wohlerworbene Beamtenrechte, DJZ, 1931, Juli 917 ff.)。

(註一六) 我が憲法も亦第二四條・第二八條の基本權には立法權の制約を含むが、第二三條・第二七條の如き根本的な規定は單純な法律の留保と解され、トマの表現に從へば(Thoma, Grundrechte und Polizeigewalt, S. 191 ff.) leerlaufend で、行政が法律により羈束されることを示すのに止まる。

(註一七) Thoma, a. a. O. S. 191 ff. かかる憲法規定に屬するものは、獨逸共和國憲法第一二三條二項・第一二四條二項・第一二九條三項等である。

(註一八) 純粹な個人主義的基本權は夙に否定されて來た。第一に自由權と雖も警察命令若くは獨裁權を以て制限され、國家的必要或は國家に表現される政治的價値の前には無條件に讓歩すべきものとされる外、第二にそれは客觀化されて個人の權利よりも寧ろ一般的法律原則を示すものと解された。所謂自由權は包括的且つ消極的內容を有し、一般の權利とは著しく性質を異にする。

(a) 組織の保障(institutionelle Garantie)。ここに組織(Institution)とは具體的且つ歷史的に決定された組織をいひ、それが獨立の人格ありや否やは問題でない(註一九)。例へば我が憲法が認める裁判組織の保障としては、裁判官の職務上の獨立(第五七條)、終身官たる地位（第五八條）及び法定裁判官の剝奪の禁止（第二四條）等がある。特別裁判所・刑事の假處分の如く法律を以てこの例外を設けることは出來るけれども、裁判組織の本質的特色は單に行政權に對して保障されるのみでなく、その廢棄は立法權を以てするも不可能である(註二〇)。但しこれによつて憲法實施當時の法律狀態(status quo) か維持されるのではなく(註二一)、陪審法・判事停年法が違憲ならざるはいふまでもない。又これにより裁判官個人の權利が絕對に保障されるのでもない。依願免官の他、法律による轉職・解職（裁構法七三條二項乃至七五條）が憲法第五八條二項に牴觸せざることは同條の一項及び三項と比較するも疑を容れない。判事及び檢事中二三二人を限り休職を命ずる權限を司法大臣に與へる法律（大正二年法律七號）がこの保障に牴觸せざることも亦同樣である。

ここに示される組織の保障は最近シュミットが明かにしたところであるが(註二二)、從來の傳統的學說を代表するアンシュッツは、立法者が組織自體を制限し得るも廢棄するを得ずとするこの說に三點から反對する(註二三)。第一は組織の構成及び作用に關して立法者を拘束するものなしとするにある。けれども裁判組織に關する上述の諸點は、歷史的發展に於いてその本質を構成する。憲法の保障規定が何等かの內容を有する限り、立法權に對してもこの組織の維持を要求するものと解さなければならぬ(註二四)。第二は組織の制限と廢棄との限界が不明瞭なことにある。けれども憲法改正權・警察命令權の限界と同樣に、この場合にも限界設定の困難なることから直にその限界の不存在を論斷するのは誤である。第三に組織自體の廢棄は過去に於ける如く將來と雖も立法者の企圖せざるところと斷定するのであるが、事實と規範は別問題である。

裁判組織の保障は裁判所及び裁判官が一般の國家機關及び官吏と異つて專ら法の理念に奉仕し、國家の統合をその職分とせざることに基づく(註二五)。終身官たる地位の保障は裁判官の權利を、又法定裁判官の剝奪の禁止は一般人民の權利を發生せしめるが、それは純粹な個人主義的權利ではない。殊に憲法第二四條は本來純然たる自由權に屬すべく、從つて沿革的には當然に憲法第二章の規定たるものであるが、現在は裁判組織の保障の一要素として、寧ろ憲法第五章の規定就中第六〇條と密接に關聯するものである(註二六)。

(註一九) C. schmitt, Freiheitsrechte S. 10. 然るにフーバーはこれを國家組織の一部が獨自の政治的・文化的・社會的性質によつて一般の組織と或る種の對立を示す場合(gewährleistete Organisationsprinzipien)及び特定の團體を保障する場合(gewährleistete Korporationen)に區別する。前者は專務職官吏の保障(獨逸共和國憲法第一二八條乃至第一三一條)裁判官の保障(第一〇二條乃至第一〇五條)の如く獨立の人格なきものの保障であり、後者は宗教團體の保障(第一三七條)公共團體の自治權の保障(第一二七條)の如く、歷史的に成立する團體を承認して國家に包容し、多元的な國家分裂の傾向を阻止するものである(Huber, a. a.

O. S. 51 ff., 62 ff.)。

（註二〇） Graf zu Dohna, bei "Nipperdey, Grundrechte" I. § 111.

（註二一） それは我が憲法第七六條一項の規定するところである。

（註二二） C. Schmitt, Verfassungslehre, S. 170 ff. 但しここでは未だ組織の保障と法制の保障の區別は論ぜられなかつた。その後この理論は多くの學者によつて承認された。例へば獨逸憲法第一二七條「公共團體及公共團體ノ聯合ハ法律ノ制限内ニ於テ自治ノ權利ヲ有ス」につきこれを認むるは Anschütz, a. a. O. S. 510; Thoma, bei "Nipperdey," I S. 21, 38; Loewenstein, a. a. O. S. 289 ff. 又敎育の自由の規定（第一四二條）につき、ローテンブユッヘルとスメントもこれを認める（Veröff DStRLehrer, IV, S. 37, 71)。

（註二三） vgl. Anschütz a. a. O. S. 510, 511.

（註二四） 例へば裁判官が行政官廳の命令を審査し得ざるものとし、或は裁判官が上級官廳の指揮に服すべきものとするが如きは、絶對に憲法違反である。又官廳事務の都合により裁判官に休職を命じ、或は非常裁判所を設けて通常裁判所に代へることも立法權を以て爲し得ざるところである。

（註二五） Smend, a. a. O. S. 97 ff; E Kaufmann, Veröff D St R Lehrer, III S. 18 ff.

（註二六） 特別裁判所を設くるについては二の制限がある。第一は訴訟手續によつて裁判を爲すことを要し、刑事の假處分の如きものと異る。第二はこれを設くるにつき已むを得ざる必要がなければならぬ。それは特別裁判所が原則に對する例外なることから明かであつて、憲法第二四條はこの限界を示すものと解される。

（b） 法制の保障 (Institutsgarantie)。法制 (Rechtsinstitute) とは傳統的に確立された典型的な法規の結合及び法律關係 (Normenkomplexe und Rechtsbeziehungen) で、具體的法律關係が包攝される抽象的形式である(註二七)。その內容・範圍は元來法律を以て定められたものであるが (Vorbehalt der inhaltlichen Normierung)、制度の內在的意味は法律により廢棄するを得ず、ただ本質的ならざる內容を變更し或はこれに制限を加へることが出來るのに止まる。この點で自由權の規定に於ける法律の留保とは法論理的構成を異にする(註二八)。自由權は個人の自然の自由を國家が承認したものであるから、法律は極めて外部的な限界を設定するに過ぎない(註二九)。

法制の保障として最も著しきものは所有權の不可侵（憲法第二七條）である(註三〇)。それはフランス人權宣言第一七條では純然たる個人の自由の保障であつた(註三一)。我が民法の規定も亦「所有者ハ法令ノ制限內ニ於テ自由ニ其所有物ノ使用、收益及ヒ處分ヲ爲ス權利ヲ有ス」(二〇六條)とし、その所謂法令が所有權の外部的な限界に過ぎぬことは明かである。併しながら所有權社會化の法理と共に各種の法令は次第に所有權制度の核心に觸れ、ここに憲法の規定は自由權の保障から法制の保障に推移するに至つた(註三二)。所有權は既に獨自の絕對的價値を失ひ、本質上社會公共の利益に拘束される新概念に變じたのである。物を絕對に支配する人權はその內容が法律によつて決定され、その目的が社會公共の利益に倚存するに至つて、法律的意義を變ずる。アンシュッツによれば、法制としての所有權は最早法律を以て廢止するを得ない(註三三)。これに反して物を使用收益し處分する個人の權利は、具體的な場合に公用徵收を以て奪ふことが出來る(註三四)。

然らば憲法に所謂所有權は廣く財產權の意義なるか、將た民法上の物の所有權に限られるか。この規定の沿革を遡れば最初は狹義に解されたが、法治國の要請の徹底するに伴ひ次第に擴大されて、廣く私法上の財產權をいふこととなつた(註三五)。公用徵收を意味した第二項の規定も亦擴張解釋さるべきことは同樣である。併しながら、かくては個別的特色ある法制はここに求めることが出來ない。法制の保障としては憲法第二七條は、嚴格に物の所有權の意味(Sacheigentumsbegriff)に限定されなければならぬ(註三六)。換言すればその所有權は一方に於いて本條が行政權の法律による羈束を示すものとしては廣く財產權と解すべく、他方に於いて法制の保障を示すものとしては民法上の概念と同一に解されるのである(註三七)。

(註二七) Carl Schmitt, bei Handbuch des Deutschen Staatsrechts II, S. 596; Huber, a. a. O. S. 37.
(註二八) C. Schmitt, a. a. O. S. 600 ff.
(註二九) 故に法律により制限規定を設けることは自由權に關しては特別の理由を必要とするけれども、法制の保障の場合には當然のことと推定される(Huber, a. a. O. S. 37 Anm. 68)。
(註三〇) 獨逸共和國憲法にはこの他法制の保障の規定が多い。例へば第一一九條の婚姻制度(Wieruszowski,

bei Nipperdey II S. 76) 第一五四條の相續制度 (Boehmer, bei Nipperdey III S. 257 ff.) の如し。

(註三一) 上述の如く中世では實定法上の權利を以て主權者に對抗するを得ず、これが例外はただ自然法に基礎づけられる場合にのみ認められた。そしてこれが爲には、國家以前の自然法より演繹さるる ius gentium の所有權の法制と、直接自然法上の原理たる契約の拘束力とが援用された。その後 Ulrich Huber (1674) は憲法に明文なきときも身體・財產・意見發表・信敎等の自由は常に保障されるものと論じた (Gierke, a. a. O. S. 270, 290, 295)。

(註三二) 所有權の最終目的に關しては自由主義・民主主義に立脚する個人主義的所有權說と保守主義・社會主義に立脚する社會的所有權說がある。前者と雖も自己の爲に物を利用・支配することが公共の福利と一致調和することを豫定するのであるが、これは發達せる資本主義的經濟の下では破られることが多い。故に社會目的の爲に所有權の行使を制限する必要を生じ、そして最近はこの趣旨の立法が行はれるのである(Radbruch, a. a. O. S. 134 ff.)。

(註三三) Anschütz, a. a. O. S 608. なほ所有權の制度的保障は、ウォルフが指摘してゐる (M. Wolff, Reichsverfassung und Eigentum, bei Kahls Festschrift, S. 5)。シュミットは當初不明瞭であつたが (Verfassungslehre, S. 171 ff.) 後にこれを認めた (Freiheitsrechte, S. 20 ff.) その他 Schelcher, Arch Öff R. 18, S. 344.

(註三四) 法律による所有權の限界の規定と公用徵收との區別は所有權に對する一般的な侵害なりや個別的侵害

なりやに存せず（vgl. RGZ 124 Anh. 19）、前者が所有權の制度を破壞せずしてただその內容を詳細に規定するに反し、後者が特定人の所有權そのものに重大な侵害を加へることにある（vgl. Schelcher, a. a. O. S. 321 ff.）。

（註三五）私の、前揭、八四頁以下。

（註三六）C. Schmitt, Freiheitsrechte, S. 23; Wolff, a. a. O. S. 6.

（註三七）C. Schmitt, a. a. O. S. 24. これアンシュッツが舊プロイセン憲法第九條の註釋に於いて、所有權を廣義に解し公用徵收を嚴格に解したのと正反對である（vgl. Anschütz, Kommentar, S. 155）。本文に述ぶるところと異り、獨逸共和國憲法が私法上の財產權の本質的要素を保障し、從つて所有權の他、賣買・賃貸借・消費貸借等の法制をも含むと解するのは Huber, a. a. O. S. 46.

五

憲法の解釋に現はれる自然法の法理は、古くから國家と法の關係を說明するに當つて用ゐられたところである。それは近年實證主義の衰退と共に、再び注目されて來た。國家と法の關係は所謂法治國の觀念の問題として絕えず公法の根本的な對象であるが、その個人主義なると國家の價值を强調するとの何れなるを問はず、これを正當に理解する爲には常に超實定的な自然法を認めざるを得ない。ここに國家主權の基礎及び限界があり、又臣民の基本權が立法權を制約する所以が存するのである。終にワルテル・エリネックの言葉を借りよう。憲法の限界の自律化は同時に憲法の理想化を意味し、人が無意識的に如何に高い價値を國家の根本法に對して認むるかを證明するものである(註)。

(註) Walter Jellinek, Grenzen der Verfassungsgesetzgebung, S. 27.

(東京產業大學研究年報法學研究第三號・昭和九年)

自由權の本質

一

自由權とは、法によるに非ざれば、人民が國家よりその自由及び財產を侵されざる權利である。そしてここに所謂法を、法規すなはち實質的意義に於ける法律と解して、苟も人民の自由及び財產を侵害する上は、それが憲法の明示する立法事項に屬すると否を問はず、必ず法規の根據を要するものとするとき、これを人民の一般的(若くは包括的)自由權といふ。これに反して所謂法を形式的意義に於ける法律と解し、憲法上の立法事項を以て保障せらるる國民の自由及び財產は、特に法律に據らざれば侵害するを得ざるものと認むるとき、これを人民の個別的自由權と稱する。

我が國の從來の學說は、概ね個別的自由權のみを認めるのに反して(註二)、美濃部博士は夙に包括的なる單一の權利としての自由權を主張せられ

「天然の自由の發現する各種の方面に應じて、居住移轉の自由・信敎の自由・集會結社の自由等自由權の多くの種類を分つを普通と爲すと雖も、是れ唯單一なる權利の種々の方面に於ける現れたる

に止まり、其の各が別個の權利を爲すものに非ず」（憲法撮要五版一五七頁）として、個別的自由權の獨自の存在を否定される。更に佐々木博士は、憲法上の立法事項につき憲法第九條の警察命令の適用なしとされる結果、包括的自由權の傍に個別的自由權を肯定されるのである（註二）。

自由權の憲法規定は本來、立法權と命令權の限界を示すものであつた。然るにこの限界は我が憲法の——少くともこの點に於いて——母法たる舊プロイセン憲法に於いて、その制定以後著しき變遷を經たところである。すなはち公法理論とプロイセン高等行政裁判所の判決例によつて、廣く行政處分までも法律に羈束される原則が確立されたのと共に、警察上の獨立命令權がその性質上法律の留保事項に適用されるに及んで、自由權の諸規定は次第に包括的自由權の中に吸收されて、遂に殆んど獨立の存在理由を喪ふこととなつた。今日に於いては憲法の字句と多少の矛盾ありとはいへ、個別的自由權は最早立法權の限界を決定するものではない（註三）。

（註一）　帝國憲法第五條の立法權を形式的意義に解し、その結果法律の留保を所謂立法事項の諸規定に求むることは穗積博士（提要七二九頁以下）これを唱へてより、上杉博士（述義四七六頁以下）、市村博士（憲法論七三一頁以下）佐藤博士（憲法講義二三四頁）淸水博士（憲法講義一〇六頁）等悉くこれに從つてゐる。

（註二）　佐々木博士、日本憲法要論二二五頁以下、二四九頁、五七〇頁以下。

（註三）私の、法律による行政、七七頁以下。

けれども自由權の本質は、統治權の發動に關する客觀的な法原理として（註四）盡くされるものではない。それは國家に對する人民の公權の中で、極めて重要なる役割をもつ。所謂公權論の諸問題は自由權の本質と關聯するものが頗る多い。

第一は消極的身分（status negativus）と積極的身分（status positivus）の關係である。自由權の內容たるべき自由を、法律上無關係（rechtlich irrelevant）なる個人の活動範圍と解するときは、自由權が權利たる所以は、この自由を侵害された場合に法の保護請求權（Rechtsschutzanspruch）が認められることにある。けれども所謂自然の自由には、法律上常に一定の內容が豫想されるのであつて、警察許可が一旦禁止されたる自由の回復（restitutio in integrum）として、權利を創設する特許と區別されるのは、これを示すものである。從つて又自由權を國家に對する公法上の不作爲請求權として說明するのは、不充分なるを免れない。第二は公權の要素たる意思力の存否である。私權と私法上の利益とは訴提起の可能性によつて區別することが出來るのに反して、公權と公法上の反射的效果とは區別が困難である。併しながら後者と區別し難き公權の大部分は、自由權に他ならない。自由權が包括的單一の權利なりや、將た個別的に存在するやも、この問題に併せて吟味しなければならぬ。第三は機關の權限に關する權利である。參政權が國家又は公共團體の機關として活動すべき個人の主働的身分(status activus)の承認を請求する權利なることは疑を容れないが、權限の行使そのものについて個人の公權を認むべきや否やは、學說必ずしも一致しない。そして機關に權利を認めざる學說は、機關の地位にある個人の消極的身分、すなはち自由の擴張を以て說明するのである。故に自由權の本質は、參政權の內容に對しても決定的意義を有するものといはなければならぬ。

以上の三點について自由權の本質を檢討し、同時に公權の一般的性質に論及したいと思ふ(註五)。

(註四) Huber, Bedeutungswandel der Grundrechte, Arch öffR. N. F. XXIII, S. 34ff.

(註五) 個人の活動の自由にして憲法の保障するものを基本權(Grundrechte)といひ、憲法以外の法律によつて保障される場合にこれを自由權(Freiheitsrechte)と稱することがあるが、用語は必ずしも一定しない。Vgl. Rehm, Allgemeine Staatslehre, 1907, S 97 ff.

二

自由權の本質は個人の消極的すなはち自由なる身分(status libertatis)に存する。そしてゲオルグ・エリネックに代表される法律實證主義の學說は、自然の自由なる超實定的概念を認むるに拘はらず、これを個人の法律上無關係なる行動の範圍として權利內容たることを拒否し、その結果、國權がこの身分に加へる制限に關してのみ、自由權の成立を論じてゐる。その實證主義的傾向は次の三點に於いて著しい。

（a） 自由權と法の反射（Reflex objektiven Rechtes）の區別は、前者に裁判上の保護が與へられなければ殆んど不可能なものとされる（註一）。蓋し所謂自由は實定法の規定せざる行動の範圍を意味するに止まり、その實質は消極的に決定されるのみで、法の反射による利益と區別さるべき積極的特色が看却されるからである。

（b） 自由が積極的内容を有せず、その範圍は立法權の發動によつて左右されることになるから、個別的自由權は存在する餘地なく、恰も個人の服從義務が單一なると同樣に自由權も亦單一である（註二）。この立場では自由權は超國家的人權ではない。國家はその種々なる機關組織を通じて他の人格と對立するが、それは行政權の主體としての國家に對する場合に限られ、立法權の主體としての國家に對しては個人の公權を認めることが出來ない（註三）。自由權も他の公權と同じく、權力分立の機構を前提とするのである（註四）。

（c） 法律によつて自由權を制限するときも、自由なる行動が法的關係あるものとなるのではない。ただ法律によらざればこれを制限し得ざる爲に、その限度で個人の公權が成立するのである。從つて消極的身分に法的性質を付與するものは、自由そのものの性質に非ずして、積極的身分より生ずる法の保護請求權にありといはなければならぬ（註五）。

(註一) Georg Jellinek, System der subjektiven öffentlichen Rechte, S. 101 エリネックによれば、行政訴願を認められるのみでは權利內容たる利益と事實上の利益を區別することが出來ず、行政裁判制度の創設によつて裁判上の救濟を與へられることにより憲法の基本權の規定中に潛在せる個人の利益が始めて權利となるものと論ずる (Ibid., S. 102)

(註二) G. Jellinek, a. a. O. S. 103. 故に憲法が自由權につき立法の指針を定むるに止まるときは、個人はただ法の反射作用としての利益を受くるのみで、立法を要求する權利はない。又法律上の平等の如き積極的原則を示す憲法の規定と雖も、その後の立法を俟つて始めて現實に效果を生ずるのである (Ibid., S. 97.)。

(註三) Anschütz=Thoma, Handbuch des deutschen Staatsrechts II S. 609. トマによれば、國家に對する個人の公權を否定する(Bornhak, Preussisches Staatsrecht I, 1883, S. 269) のは誤であつて、國家を統合された單一體として考へるのみでなく、內部的に考察し、その機關組織の多元的な差異を吟味しなければならぬ。

(註四) 最近には基本權の憲法規定が立法權の制約を含むものと解されて來た。その詳細は、別稿「憲法解釋の自然法的色彩」二九頁以下。

(註五) G. Jellinek, a. a. O. S. 104. エリネックによれば、國家が利害關係を有するのは、個人が自由なる行動を爲し、又は爲さざることではなく、ただそれが法律の定むる限界を踰越せざることのみである。

かくて、自由は當初自然法學說が主張せる人權とは異り、それ自身は請求 (Anspruch) を意味せず、何等これに對應すべき義務なきものである。それは禁ぜられざるものであり、法規に牴觸せざるものに他ならない(註六)。併しながら他人に法律上の意味ある效果を及ぼし得ざる行爲は法律學の對象とならない。自然の自由が他の人格の範圍に接觸し得べき限度に於いてのみ法による許容(Erlauben)が考へられ、この意味に於いては自由な行爲も法律上の關係あるものである(註七)。然らば自由と權利內容は何を以て區別されるか。

(註六) Bierling, Zur Kritik der juristischen Grundbegriffe II, S. 311, 324.

(註七) G. Jellinek, a. a. O., S. 46 法律上許されたる行爲(Dürfen)すなはち自由は、法律上の關係ある行爲にして、法により許されたものの全體である。

ワルター・エリネックは法律關係を義務(Sollen)自由(Dürfen und nicht Brauchen)及び權利(Können)に三分する。自由な行爲は事實上他人に影響するのであるが、それは法の反射的效果に他ならず、行爲そのものは本來孤立せる人民に屬し、從つて複數の人格を前提とする權利と異るとするのである(註八)。自由が法律上無關係なる行動と稱せられるのは、この意味に解することが出來る。

次に自由權はこの自由の範圍に關して、國家に向けられる不作爲請求權(Recht auf Unterlassung)と解される。固より國家に對しては、不作爲の給付訴訟も消極的確認訴訟も提起し得ないが、それは立法が不充分なる爲であつて、違法處分取消の訴が認められる以上は、理論上當然に不作爲請求の訴をも許容しなければならぬ(註九)。蓋し請求權とこれが毀損された場合に生ずる法律關係とは異る。然るに上述の如く自由權の本質を、自由が妨害された場合にその停止若くは排除を請求する權利に求むるとすれば、法の保護請求權と自由權とが混同される虞がある(註一〇)。

(註八) 純然たる消極性も、不作爲債權に於いては權利內容となる。これに反して例へば營業許可により特定人に自由が與へられることは、ただ國家の禁止若くは命令が除去されて、孤立せる人の完全なる自由狀態へ接近せしめられたのに過ぎない。自由が付與される結果、他人がこの自由を侵すことは禁止されるけれども、それは法の反射的效果に過ぎず、それのみでは受益者と他人殊に侵害者との間に法的交涉を生ぜしむるものではない(Walter Jellinek, Verwaltungsrecht, 1931, S. 200)。

(註九) W. Jellinek, a. a. O. S. 208. 警察處分に對する行政訴訟が權利侵害の場合に限るにも拘はらず(プロイセン警察行政法第四五條第四九條)、實際には違法に自由が侵害された場合に、權利侵害と同樣に訴權が認められることは、これを示すものである(Ibid, S. 209)。

(註一〇) Vgl. Felix Somló, Juristische Grundlehre, S. 459. 包括的自由權より發生する法の保護請求權を、特に積極的身分に屬する權利とし、自由權を空虛なものとすることには、リヒターも亦反對してゐる(Lutz Richter, ArchöffR. N. F, 8, S. 59 Anm. 146)。

かくて法の認むる自由が、單にこれに對する法的制限の否定(Negation gesetzlicher Beschränkungen der allgemeinen Handlungsfreiheit)を意味するものとする學說(註一一)は修正されて、國家に對する不作爲請求權を認める學說が一般に承認されるのである(註一二)。フェリックス・ゾムロによれば、國權の自律的規範 (Versprechensnormen)(註一三) によつてその不作爲義務が定立されるとき、人民に付與される請求 (Anspruch) を Dürfen といひ、その付與を許可 (Erlaubnis) といふ。Dürfen は人民の自由の領域であるが、自由は、その內容を常に積極的なものから與へられるのであり、換言すればその欠缺を意味する消極的概念である。法律上の自由とは、國權の侵害を禁ぜられたる人の行動・生活領域であつて、單なる事實上の自由 (rechtsleerer Raum) とは區別することを要する(註一四)。

(註一一) Laband, Staatsrecht des Deutschen Reiches, 5. Aufl., III, S. 209 Anm. 1; G. Jellinek, a. a. O. S. 110; von Seydel, Bayerisches Staatsrecht I. S. 300.

(註一二) エリネックの外 Felix Somló, a. a. O. S. 451 ff.; Ottmar Bühler, Die subjektiven öffentlichen Rechte, S. 63; Derselbe, Festgabe für Fritz Fleiner, S. 26 ff.; Tezner, Grünhuts Zeitschrift, Bd. 21, S. 135.

(註一三) 彼は法を國權の自律的規範と、人民に義務を課する他律的規範 (Befehlsnormen) とに分け、前者が人民の公權を定立するものと解する (Somló, a. a. O. S. 194, 494)。國權の自律的規範なる概念の批判は別稿「憲法解釋の自然法的色彩」四頁以下。

（註一四） Somló, a. a. O. S. 451—453 ゲオルグ・エリネックが Dürfen と Können を區別して、後者は自然には存せざるものを、法によつて個人に付與するものと解する(G. Jellinek, a. a. O. S. 47)のに反對して、フェリックス・ゾムロは Können は國權が個人に對して作爲義務を負へる場合に他ならぬと說明する (Ibid, S. 458)。

右の如く自由權を國家に對する不作爲請求權と解する理論は、次の二點に於いて批判を受ける。第一は、自由權の概念を否定する傾向である。すべて人の作爲、不作爲は本來國家とは別個の行動に屬し、法秩序はこれに法的見地から、或る種の重要性（Erheblichkeit）を付與するに過ぎない。自由の行動も、法の承認がなければ、法律上無關係な現象であり、國家がこれを侵害しても違法の場合を生じない筈である（註一五）。蓋し自然の自由につき一定の法的内容あることを無視する限り、自由權はその特異性を喪失し、他の不作爲請求權との本質的差異は認められない。更にケルゼンは法規の本質が國家を義務づけるにあることから、自由權の法學的構成を不可能なりと論じた。彼によれば自由權は國家の不作爲意思を内容とするが、法學上の意思は純粹の歸屬關係を示すものであるから、不作爲なる消極的要件が法秩序たる國家に歸屬する旨の法規は無内容となるのである（註一六）。

第二はテツナーの指摘する如く若し各人の自由な行動が悉く不作爲請求權を伴ふものとすれば、實益なき無數の自由權が成立する虞がある（註一七）。この非難に對して說明を試みたのは、ビューレルである。彼は所有權その他の物權より生ずる妨害停止の請求權が物權に伴つて當然に成立し、且つ妨害を加へる可能性あるすべての者に對するものと解する學說(註一八)に反對する。すなはち不作爲請求權が成立する爲には、法の保護する利益に對して、現實に侵害が加へられ若くは侵害の危險が急迫なることを要し、しかもその侵害が違法なものでなければならぬ。然るに公法に於いては、侵害者は常に國家であり、その侵害は行政權が法律に羈束されることにより、原則として適法と看做される。ただこの法律による羈束は行政の全範圍に一樣な程度で認められるものでなく、國の有する行政上の權利(Verwaltungsansprüche)が浩汎强大なる領域と然らざる領域の區別があり、これに應じて國家の違法行政に對する人民の不作爲請求權にも、包括的なるものと個別的なるものの區別を生ずるものと解する(註一九)。

(註一五) ゲオルグ・エリネックが Erlauben と Dürfen を、直接人民相互の關係に認め、Gewähren と Können を法を創造する國家と法に服する人民の關係に求めたのは、正當でない (Tezner, a. a. O. S. 120; Kelsen, Hauptprobleme S. 632ff.)。リヒターによれば、憲法に所謂集會の自由は、自己の葡萄酒を飲み、自己の土地を散歩する自由とは異り、法の明文を以て國家から許容されたものである (Lutz Richter, a. a. O. S. 58 Anm. 146)。

(註一六) Kelsen, a. a. O. S. 437.

（註一七） Tezner, a. a. O. S. 134. これは既にウンガーの示すところである（Unger, System, I, S. 497）が、これに關するゲオルグ・エリネックの態度は明瞭でない。エリネックは一方に於いてレーニングに反對し、所謂自由權は權利に非ずとし（Jellinek, a. a. O. S. 97 Anm. 1）他方に於いて、消極的身分はその侵害を禁止することによつて保護されるものとする（Ibid., S. 99, 100）が、身分は性質上變更・廢止するを得るも、侵害する能はず、その侵害あるは權利たることを認むるものに他ならない。

（註一八） Windscheid-Kipp, Pandekten, 9 Aufl. I S. 184.

（註一九） Bühler, Die subjektiven öffentlichen Rechte, S. 144ff. 臣民に對する國家の權利を認むるについては反對があるが、詳細は後節に述べる。

けれどもビューラーの所説は、自由權に認められる法の保護に、程度の差があることを示したものに過ぎない。自由權が所謂自然の自由に基づき、法の保護の程度の如何に拘はらず實質的請求權として成立するものとせざる限り、法の反射的效果との區別は相對的に止まり、不作爲請求權としての特色は消滅するに至る。かくて更に、自然の自由の内容を吟味する必要が生ずる。

元來自由權に關する憲法の規定は、國權の發動と、これに對して人民が留保せるものと考へらるる原始的自由との間に、限界を設くる爲であつた。その列擧する自由權は從來の國家的法秩序に對するもので、歴史的にのみ理解すべく、完全な體系を具備するものではないが、自然法の思想は常に一定の內容の自由を豫想してゐるのである(註二〇)。 それは特典的な自由の範圍（privilegierte Freiheits-sphäre）について、ゲオルグ・エリネックが述ぶるところを見れば、明瞭である。例へば營業に關する對人的及び對物的許可（gewerbliche Personal-und Realkonzessionen）は警察上禁止せる自由の囘復であつて、新なる行爲能力を付與するものと區別される(註二一)。 消極的身分が一種の身分として或る種類の法益を享受し得る能力に過ぎざるものとすれば、その擴張を考へることは出來ない。特典的な自由の範圍を認むることは、すなはち消極的身分が具體的法律關係に於ける特定の內容をもつことを意味する(註二二)。

（註二〇） Vgl. G. Jellinek, a. a. O. S. 94, 95. ここに所謂自然法とは、中世に於いてローマ法系の主權が法に拘束されざる法理とゲルマン法系の國權に對して法の優越を認むる思想とが、基督敎によつて綜合せしめられて生じた理論である。その公法理論に關する根本的意義は、主權が本來無制約に非ざること、及び人民の自由及び財產を國權に對して保障することである。詳細は別稿「憲法解釋の自然法的色彩」九頁。

（註二一） G. Jellinek, a. a. O. S. 110.

（註二二） Tezner, a. a. O. S. 131. 反對に警察權・刑罰權その他特別權力關係の下に、消極的身分の縮小が考へられることも、これに一定の內容を豫定することを示すものである(vgl. G. Jellinek, a. a. O. S. 112ff.)。

消極的身分の內容たる自然の自由は、第一に國家組織を前提とせず、且つすべての人に認めらるべき自由である。從つて各種の參政權を含まざるのみならず、法律の定むる裁判官の裁判を受くる權利公の扶助を受くる權利如きは、當然に除外される(註二三)。第二に單純な物理的若くは心理的自由と異り、本質上當然に公共の安寧秩序を保持する警察目的（治安の目的）に制約される。蓋し自然法の正義は、各人の人格を尊重し、社會生活の平和を維持することを、要求するからである(註二四)。第三に法律を以て特に禁止されざる場合なることを要する。個人の自由を侵害することは憲法上法律の留保事項であつて、法律は自由の限界を決定する力がある。けれども自然の自由の全般を否定し得ざる他、憲法上保障せらるる制度（Institutsgarantien）例へば所有權の法制の如きは、法律を以ても廢止することは出來ない(註二五)。

今營業の自由について考へるのに、それが上述せる自然の自由に屬することはいふまでもない。從つて一般的自由權に基づき、營業行爲について國家の不作爲義務が成立する。このことは營業につき警察許可を要する場合も同樣である。警察許可を受けざる以前にも營業の自由を有するのであるが、自然の自由に內在する公安を害せざるべき旨の制限が遵守され難き推定を受ける爲に、許可あるまでは營業を爲すことを得ないのである。從つて出願者の許可を求むる權利（Recht auf die Konzession）を認むるに拘はらず、許可に基く權利（Recht aus der erteilten Konzession）を否認するオット・マイヤーの學說をビューラーが非難する(註二六)のは誤である。個人は營業の自由を有するが故に、との自由が具體的に治安を害せざることの承認、すなはち許可を求むる權利を有し、國家がこれを許可するか否かは覊束裁量の行爲となる。これに反して許可があつた後は現實に營業の自由を享受し得るのみで、新なる權利が與へられたのではない（註二七）。次に公企業の特許（Verleihung öffentlicher Unternehmungen）では、法律により全く營業の自由の範圍外においた企業を營む權利が、新に與へられる（註二八）。それは疑もなく自然の自由に屬せず、從つて包括的自由權が認められざる場合である。ゲオルグ・エリネックが、行爲能力を付與する特許により消極的身分が擴張するものと解したのは（註二九）、正當でない。自然の自由が當然に包括的自由權を伴ふものであるのに反して、この場合に擴張された自由は、特許行爲の基礎たる法律によつて初めて保護されるからである。各人の能力の適法な自由なる行使（Freiheitssphäre）及び各人の權利に基づく適法な自由なる行動（Rechtssphäre）は國家が違法に制限するを得ざるものとする原則は、法論理的な必然性をもつから、この意味に消極的身分を用ゐることは、無意味といはなければならぬ（註三〇）。

（註二三）　Carl Schmitt, Verfassungslehre, S. 157—182.

（註二四）　例へば掠奪殺傷によつて生計を營み、或は危險なる營業によつて他人の生命を危くするが如きは、當然に除外される。故にテツナーはこの自由を、法が許容し若くは禁止せざるものと解して、事實上の自由と異る法律上の自由なることを指摘するが（Tezner, a. a. O. S. 109, 110）、それは實定法を俟たずして存在する自由である。

（註二五） 別稿「憲法解釋の自然法的色彩」四〇頁。

（註二六） Otto Mayer, Deutsches Verwaltungsrecht, 3. Aufl. I S. 243, 244 und dazu Bühler, Festgabe für Fritz Fleiner, S. 45.

（註二七） 故に許可は、國家に對して法律上安全なる狀態を發生せしむるもので（Otto Mayer, a. a. O. S. 244）、換言すれば、營業の自由に對する法の保護が強くなつたのである。營業の自由そのものが許可を受くる以前と雖も潜在することは、禮拜所の設置につき許可を要するものとした縣令に拘はらず、信敎の自由が認められるのと同樣である（昭和六年十月十二日大刑判決、私の評釋、國家學會雜誌四六卷四五四頁）。

（註二八） Otto Mayer, Deutsches Verwaltungsrecht, II, S. 261.

（註二九） G. Jellinek, a. a. O. S. 109, 110.

（註三〇） Anschütz=Thoma, Handbuch des deutschen Staatsrechts II S. 619. 如何なる機關も權限を踰越するを得ないから、專制國家でもその法律を尊重する限り同樣の原則が認められる。適法なる自由を主張する一般的請求權、すなはち法律上禁止されざるところは法的に許容されたるものとする原理は、決して自由主義の要請ではなく、國家の法秩序の存在から論理上必然に演繹されるところである。

要するに所謂自然の自由は一定の法的內容を有し、それは當然に、國家に對する不作爲請求權と結合する。從つて自由權は單一不可分であり、しかも訴權を俟たず自然の自由に基づいて存在する實質的請求權である。

以下に私は、右の如き自由權の本質が個人の公權の理論に及ぼす影響を檢討したいと思ふ。

三

公權は公法關係に於ける權利である。故に私權と同じく、意思力はその形式的要素であり、利益若くは目的はその實質的要素である(註一)。固より意思力及び利益は、性質上法秩序から獨立な個人の自由を前提とするもので、これを個人の心理について考へるときは、權利概念の決定が不明瞭となることを免れない。故にケルゼンはこれ等の要素を排斥して、權利者に對する關係に於ける法規を權利とし、法規の定むる國權の發動がその請求を要件とする者を權利者と定義する(註二)。けれども權利をかくの如く廣義に解するときは、法の反射的效果との區別が全く消滅する。然るに公權の概念は、行政訴訟を提起する要件の存否及び法治主義の適用に關して重要な意義をもつから、利益及び目的の要素によつて、公權と法の反射的效果とを區別しなければならぬ。

公權の理論構成が、私權に比して著しく困難なる所以は、義務者たる國家の背後に無限の權力(das dahinter stehende Unbegrenzte)が存するからである(註三)。けれども上述の如く行政權の主體としての國家は臣民に對して義務を負擔すると共に、それ自身公權を保有するから、これを以て臣民の公權を否定することは誤である。

（註一） G. Jellinek, a. a. O. S. 45. 意思說（Willenstheorie）が權利を法秩序の付與する意思力若くは意思の支配と定義することに對して、小兒及び狂者の權利は意思力と解し得ざること（Ihering, Geist des römischen Rechts, 3 Teil, 1. Abt. S. 321）、及び權利者は必ずしも權利內容を欲せず、或は全くこれを知らざることあるべし（Thon, Rechtsnorm und subjektives Recht, S. 115）とする反駁がある。從つて意思說も結局、權利の要素たる意思は法秩序の豫定せる意思に過ぎざるものと辯明する他はない（Windscheid, a. a. O. S. 156 ff.）。次にイェリングの利益說（Interessentheorie）によれば、權利は法の保護する利益であるが（Ihering, a. a. O. S. 316 ff.）、それは特定人の主觀的利益ではなく、立法者の立場から決定されるものであり、且つ權利者に直接の利益でなければならぬ。從つて第一に平均的利益（Bernatzik, ArchöffR. V, 1890, S. 234）であり、第二に權利者自身が利益保護の Initiative をとるを得べきものである（Ihering, a. a. O. S. 327）。故にいづれの說をとるも結局折衷說に歸するのである。

（註二） Kelsen, a. a. O. S. 663. ケルゼンと同じく、最も廣範圍に法律關係の主觀化を認むる者として Lutz Richter (a. a. O. S. 1, 42.) がある。具體的には權利について權利者の利益若くは意思力なきことあるべく、この場合に若し立法者の思考する觀念的な意思若くは平均的利益を以てこれに代へるとすれば、結局利益乃至は意思力の要素が權利の常素に過ぎぬことを示すものである（Kelsen, a. a. O. S. 573 ff., 535 ff.）。

（註三） Otto Mayer, Verw R. 1, S. 104. ライヤーも亦 imperium が本來無制約な命令權なることを指摘する(Layer, Principien des Enteignungsrechtes, S. 338)。そして公法はこの公權力の主體自身が關與する法律關係の秩序に他ならぬ(Otto Mayer, a. a. O. S. 15; G. Jellinek, Allgemeine Staatslehre, S. 384)。

一　公權と法の反射的效果を區別するについて、ゲオルグ・エリネックは二の標準を擧げる(註四)。

(a)　公權は形式的には特定人と國家の法律關係について法の保護を要求すべき請求權が、その者に付與される場合である。ただこの意思力が何を意味するかは明瞭でない。國家に對する私權は强制執行が困難であるが、公權に至つては全く不可能であり、この場合には官吏の私法上・懲戒上の責任及び國務大臣の政治責任あるのみ。强制執行のみならず訴訟を提起し得ざる公權も頗る多い。從つてすべての公權に共通なる要素は、權利者が關係法規を援用して、官廳の作爲若くは不作爲を要求し得ること(Verlangenkönnen)に止まる(註五)。

(b)　實質的には、法規が明示又は默示を以て特定人の利益を承認するや否やによつて區別する。併しながら、特定人の利益を保益する法規は同時に間接には公共の利益の爲となり、いづれが主なる目的なりやが不明瞭なるを免れない(註六)。

(註四)　G. Jellinek, a. a. O. S. 70 ff.

(註五)　Bühler, Die subjektiven öffentlichen Rechte, S. 47 ff.; Thoma, a. a. O. S. 616. フライナーに

よれば、國家が人民に給付をなすに當り、その規定が專ら行政廳に向けられ、個人にはただ一般的に法律執行の要求(Gesetzvollziehungsanspruch, Interessenbefriedigungsanspruch)が認められるに止まるときは、法律執行の反射的效果を受ける場合であり、叉個人に具體的且つ明瞭なる國家行爲の請求權が歸屬して、恰も債務者に對する債權者の如き地位にあるときは、公權が成立するのである(Eleiner, Institutionen, S. 172)。(註六)　公共の利益と個人の利益とは、公權に於いても私權に於いても競合する。故にリヒターはこの區別を認めず、法の保護する利益は具體的法律關係の內部で權利の構成要件として實定されるところに從ふ他なきものとする(Ibid., S. 35)。

右の標準がいづれも明瞭を缺く爲に、反射的效果を否認する學說が生ずる。リヒターによれば法の反射とは、特定人が或る法律關係に於いて、その構成要件の一部として人格者の取扱を受けざる場合に過ぎない(註七)。叉法の反射と權利を區別する通說に於いても、權利との區別は法律內容の解釋問題(Interpretationsfrage)に他ならない。すなはち特定人の利益と法規の關係が單に因果的なるに止まらず、法規の精神に基づき特にこの利益を付與する場合が權利であり、反射的效果は法規が意圖せざる偶然の事實的效果である(註八)。固より反射的利益が侵害された場合にも、訴願・行政訴訟の提起の如き形式的公權が認められることがあるが、利益を權利の要素とするイェリングも亦權利と反射的效果の差異を、權利者自身にその利益保護の Initiative が委ねられるか否かに求めてゐる(註九)。例へば刑法の規定は被害者に公權を付與することなく、後述する機關の權限行使に關しても一般に權利が否定される。

（註七）例へば行政執行法第二條・工場法の諸規定に於ける如く、自由な理性的意思を具へる人格としての地位が認められざる場合である（Vgl. Lutz Richter, a. a. O. S. 77）。從つて法の反射は具體的法律關係で相對的に認められるのみ。法の反射と雖も、他の法律關係では權利となり得るのである（Ibid, S. 78）。

（註八）Felix Somló, a. a. O. S. 466. 權利は法規の表はす當爲であつて、反射的效果は法規の惹起する事實である（Ibid, S. 464）。

（註九）イェリングは最初訴權が認められることを私權の特色と解したが（Ihering, a. a. O. S. 327）、後に說を改めて、個別的な權利侵害の確定を求め得ることにこの特色を求めた（Vgl. Kelsen, a. a. O. S. 580）。

併しながら上述の如く、自然の自由に關する限り、常に包括的自由權を伴ふもので、法の保護の程度如何に拘はらず、明瞭に反射的效果から區別される。この範圍では特別の法規によつて、特定人の意思力及び利益が承認されることを要しない。公權と法の反射による利益との區別は、自然の自由に屬する利益の如く、一般人民が當然に保有する場合でなく、特定人の利益が法規に基づいて與へられる場合に問題となる。いひかへれば個人の積極的身分及び主働的身分に關して問題となるのである。故にビューラーがこの區別に關する標準の一として、公權が行政權の自由裁量を認めざる强行法規に基づくことを擧げたのは、正當といはなければならぬ(註一〇)。この法規は實質的意義の法律であつて、法律の外、法規命令を含むけれども、法治主義の結果、行政命令を含まない。このことは、後述する機關の權限を定むる規定が法規なりや否やについて特に論じなければならぬ。又例へば積極的身分に屬する民事上の訴權は、訴訟法の規定の文言では明瞭でない。固よりこの訴權が個人の意思力及び利益の要素を具備することはいふまでもないが、通說がこの公權を認むる根據は、强行法規に於いて義務が定立されるとき權利が必ずこれに對應するといふにあるのである(註一一)。

(註一〇) Bühler, a. a. O. S. 21 ff. ここに自由裁量とは、行政廳が行政行爲を爲すに當り、その效果が國家目的を促進せしむる價値ありや否やを法律上自ら判斷するを得ることをいふ (Ibid., S. 26)。

(註一一) Bühler, a. a. O. S. 57 ff.

二　實體的利益とは無關係に、專ら法の保護の手續に關する形式的公權がある。一般に認められる請願權の他、訴願權・行政上の訴權の如きがこれである。トマは公權を二種に分ち、形式的公權とは無關係に成立する廣義の公權と、形式的公權を伴ふ狹義の公權とに區別する(註一二)。上述の如く自由權は自然の自由に基づいて存在する實體法上の權利であるから、自由權に關する憲法規定は、少くとも廣義の公權を定立する。外國に於いて國際法により保護せらるべき權利も同樣である。

法治國の要請は一般的自由權の出來る限り多くの顯はれ (Ausstrahlung) を狹義の公權に高める

ことにある。それには概括的列記の行政訴訟事項の擴張解釋によることの他は、特別の法規に基づいて個々の自由に妨害排除の訴權が認められなければならぬ。この場合には各種の自由な行動は單に消極的身分に包含されるに止まらず、特に法律上の重要性が付與されて、個別的自由權（Rechte des Dürfens）が成立する（註一三）。一般的自由權が先天的な自由について認められるのに反し、個別的自由權は專ら實證的に決定される（註一四）。

（註一二） Thoma, a. a. O. S. 616, 617.

（註一三） Bühler, a. a. O. S. 147; Tezner, a. a. O. S 111.

（註一四） 例へば營業の自由は、嘗ては一般に禁止された。これを保障する規定「營業ハ本法ニ依リ例外若ハ制限ヲ規定シ若ハ認ムル場合ノ外ハ、何人モ之ヲ營ムコトヲ得」（§ 1 Gewerbeordnung f. d. Deutsche Reich）は、歴史的には創設的な法規であった（Bühler, a. a. O. S. 235）。又請願の自由については、一六八九年の Bill of Rights に曰く「國王ニ請願ヲ提出スルハ臣民ノ權利トス、カカル請願ニ關スル勾留及裁判上ノ訴追ハスベテ違法ナリ」。

先づ刑罰による自由の侵害に關しては、夙に罪刑法定主義が認められ、法治行政の原則の先驅を爲してゐる（註一五）。公訴權は私權に最も類似する國家の權利（註一六）であつて、その行使は獨立の裁判所に提起することを要し、被告人の同意あるもこの手續を省略し得ない（Prozesszwang）。これに對して、個人は、法律に據らざれば刑罰を科せられざる自由權を訴訟上主張することが出來るから、狹義の自由權が完全に認められる場合である。この範圍では新聞紙法第四五條の認める新聞掲載の自由、或は親權者の懲戒權の如きものも、獨立の個別的自由權とはならない(註一七)。

刑罰權の發動に次いで古くより法治行政の原則が認められるのは、租稅の賦課である。けれども國家の課稅權は公訴權と趣を異にし、訴訟を經て初めて强制し得る Verlangenkönnen ではなく、更に强力なる Erzwingenkönnen である。それは恰も債務名義ある債權者と同樣で、個人はこれに對して請求異議の訴若くは第三者異議の訴に相當する爭訟を提起しなければならぬ。この場合にも個人に實定法上狹義の自由權が與へられる(註一八)。

內政の範圍では、一般的には狹義の自由權が存在しない。蓋し法律を以て行政權を嚴格に拘束することは、行政の遲滯・公益の犧牲となるからである。從つて法律自ら、警察上の獨立を認むることがあり(註一九)、比較的詳細なる法律の規定ある領域に於いて僅かに個別的自由權が成立することになる。例へば舊治安警察法第八條は集會・結社を解散若くは禁止する要件を規定するが、發起人・主幹者はその理由の擧示を請求してこれに對抗するを得ず、警察官廳はいはば自ら裁判官にして且つ强制執行をなす權力がある。個人は個別的自由權に基づき、訴願(訴願法一條)若くは行政訴訟を提起して取消を求むることを得るのみ。

（註一五） 嚴格にいへば刑事司法權の羈束であるが、この原則は刑事の假處分の外、懲戒罰、秩序罰等にも認められるのみならず、刑罰權自體が公法關係に屬するから、法治行政の原則の一例として考へることが出來る。

（註一六） 警察權・裁判權の如く繼續的に存在する國家權力を權利と稱するについて、ゲオルグ・エリネックは反對し、これを權限と稱するが（G. Jellinek, a. a. O. S. 223 ff.）それは完全に法律上保護された公權である（Walter Jellinek, a. a. O. S. 204）。

（註一七） 反對 Bühler, a. a. O. S. 149.

（註一八） それは違法處分取消の訴であるが、理論上は不作爲請求權の行使に他ならない。これに反して私法上は義務以上に支拂はざることを抗辯として主張すれば足り、これは不作爲請求權の行使と考へられない。

（註一九） 例へば行政執行法第四條に於いて獨立命令（同法施行令第二條）を認むるが如し。

要するに個別的自由權は、狹義の公權である。それは一般的自由權が實定法上、その全般に亙つて必ずしも充分なる法の保護を與へられない爲である。

四

公權概念に於ける目的（利益）の要素は、特に國家機關の權限について論ぜられる。國家は統一的意思をもつ爲に意思組織（Willensorganisation）を備へるけれども、國家機關の活動を心理學的に考察するときは、機關を構成する個人の意思に基づくのはいふまでもない。權限の行使が、機關の地位にある個人の權利に非ずして、國家の權利の行使と認むべきことは、專らその目的が國家の利益に存するからであつて、單純な意思說では說明することが出來ない(註一)。

夙にこの點を指摘したのはベルナチックである。彼によれば法人格の要素として、團體に固有の統一的な目的とこれを實現する爲の意思が擧げられる。そして國家の目的は、其の機關の實質的權限の總和によつて示される(註二)。次に權利概念に於いて、目的の主體と意思の主體とは必ずしも一致する必要がない。代理では意思主體と相並んで、目的主體たる本人が存するに反し、法人はその目的を實現すべき意思主體（機關）を離れては、存在し得ないのである(註三)。

（註一） 例へばロジーンは目的の要素を强調して、權利主體とは自己の爲に意欲し得るものとした。故に代理人・機關は權利主體と區別されるが、なほ意思說に拘泥する結果、遂にこの場合權利主體を見失ふのである(Rosin, Souveränität, Staat usw. S. 15)。統一的意思を構成すべき意思組織を備ふるときは、意思說では常にこれに權利主體たる性質を認めねばならぬであらう。第十九世紀初期の自然法說では三權を行使する機關にそれぞれ獨立な人格を認めた結果（Kant, Metaphysik der Sitten, 3Aufl., Rechtslehre § 45）、行政廳の違法處分を行政廳自ら裁判し得ざることは、同一人が裁判官たり且つ當事者たり得ざる法理によるものと說明してゐる（Vgl. Bernatzik, Kritische Studien über den Begriff der juristischen Person usw. ArchöffR. V, 1890, S. 210）。

（註二） Bernatzik, a. a. O. S. 276, 236.

（註三） Bernatzik, a. a. O. S. 237, 238, 263. 代理は複數の主體間の關係で、代理人の意思は本人の意思から獨立なるに反して、代表者とは、その者の意思が團體の基本法により直接に團體若くは個々の機關の意思としての效果ある人である（G. Jellinek, a. a. O, S. 153, 154）。

然らば國家意思を構成する機關について、個人の公權が成立するか。ベルナチックは機關の地位に關する權利（Rechte auf Organstellung）、すなはち自己の意思により團體の意思を構成し若くはこれに參與する公權を認める。例へば君主の大權が君主自身の權利として、その責任を以て行使され、承繼され又その同意なくしては剝奪し得ざること、恰も既得權と同樣なるは、疑を容れない。同時に他方、君主が代表する國家人格の存在は專制時代に於いても認められ、君主の大權が國家の統治權たることは明かである。かくの如く同一の意思力の作用が相異る人格に屬する二つの權利たることは、利益の同一（Interessenidentität）に基づくのである（註四）。

これに反對するのはゲオルグ・エリネックである。彼に從へば、機關意思の中に於いて個人意思そのものは最早存續せず、その權限內にある限り機關意思は國家意思であつて、これに對立するものではない。權限とは一定量の國家の作用で國家機關が處理する義務あるものをいひ、それは權利ではなく法に過ぎない（註五）。個人の主働的身分に於ける公權は、專ら國家機關としての個人の地位の承認を請求するにある。法律の規定する作用を爲すことの許容は、地位の承認の當然の結果であるから個人の公權に包含さるべく、この公權は權限の行使とは内容（利益）を異にするのである(註六)。

（註四） 國家人格は專制治下でも、裁判所が君主とは獨立な國家機關と解され、又國家が君主の交迭に拘はらず存續すること等により明かである（Bernatzik, a. a. O. S. 300)。ベルナチックは君主の大權の他自治團體の權利を例に擧げるが、本稿は主として個人の公權を論ずる爲これを省略する。更に世襲議員が上院に於いて議員となる權利及び一般人民の選擧權が論ぜられる。選擧人團體は統一的目的がなく、法人格をもたないから、選擧權は個人の權利たると同時に國家の權限行使の性質を有し、ここにも選擧人と國家との間に法律上利益の一致が成立するのである（Ibid., S. 310, 311)。

（註五） G. Jellinek, a. a. O. S. 227.

（註六） G. Jellinek, a. a. O. S. 143 ff.; W. Jellinek, a. a. O. S. 206. この主働的身分は機關組織について個人的請求權ある場合（世襲議員たり得べき華族、當選人等）の他は、原則として特別の取得行爲を要し、この點で被選資格、就官能力、抽象的なる選擧能力の如き法の反射たる受働的資格（passive Qualifikationen）と區別される（Ibid., S. 141, 142)。

なほエリネックの身分（Status）なる用語につき、これを一群の公法關係の原因たる法律事實に該當することにして、人民間に法的差別を生ぜしむるものとすれば、すべての人に歸屬する受働・消極・積極の三身分は適當な用語でなく、主働的身分のみがこれに該當する。しかもここに他の三身分が再び現はれることは主働的身分の一變種に過ぎざることを示すものと解される（Tezner, a. a. O. S. 127 ff.）。

これに對しては先づ、機關人格（Organpersönlichkeit）の權利が考へられる。元來、權利主體の概念は特定の法の領域について相對的に決定される。國家の機關は、外部關係では國家を代表するが、內部關係では權利主體である。蓋し國家が多くの機關に權限を分配して多元化することは、權力分立の立憲政體に於いて確立され、法規の內面的拘束力の基礎である。從つて國家の內部組織の規定と雖も法規であり、これによつて義務及び權限を付與される機關は、權利主體と考へることが出來るからである（註七）。

（註七）　權利主體が相對的概念なることは、私法上の權利主體が國際法では必ずしも權利主體ならず、自然人が權利主體なることもヘレニズムの哲學と基督敎的世界觀の上に發達せる、文化的所產に過ぎざることから明かである（Thoma, a. a. O. S. 611）。機關に不完全な相對的人格を認むるは Gierke, Genossenschafts-theorie, 1887 S. 169 ff. ラーバントは法律上の人格が論理的に不可分なる統一體であり、國家の官職（Staats-amt）が客觀的な法制にして權利主體たらざることを認むるに拘はらず、官廳（Behörden）に於いて官職と職權（Amtsgewalt）が結合するときは、官職が人格化され、權利義務の主體として考へらるることを得るものとする（Laband, Staatsrecht I. S. 366.）。

しかのみならず機關の地位にある個人と雖も、その人格・個性を全く喪ふには至らない。この點で機關の地位に於ける消極的身分の擴張を檢討しなければならぬ。エリネックは君主權（Monarchenrecht）を、君位取得の請求權及び取得者が君主たる地位を承認さるべき權利に止まるとし、君主の大權の發動は權限の行使であつて、この場合はただその不當責の原則によつて、君主の消極的身分が最大限度に擴張（die denkbar höchste Steigerung seiner Freiheitssphäre）されるのみと解する（註八）。けれどもこの場合に擴張された自由は、君主の權限を認むる法規によつて初めて保護されるものであつて、包括的自由權を當然に伴ふ自然の自由とは異る。すなはち包括的自由權とは別に、君主の公權として不作爲請求權を認めなければならぬ（註九）。次に選擧權の行使は個人に關しては法の反射に過ぎず、個人の參政權は選擧權者たる資格承認の請求權と解するのであるが、この承認は、選擧人名簿に登錄を要求し、又選擧行爲を許され、これに關して國家が妨害せざることの請求を含む（註一〇）。それは疑もなく權限の行使に關する公權を認むるものに他ならない。兩議院の議員に與へられる免責特權（Immunität）も、君主の不當責と同じく消極的身分の擴張と解されるけれども、それは所謂自然の自由ではなく、國家機關の行動について個人意思の存續を認むるものである（註一一）。

（註八） G. Jellinek, a. a. O. S. 150, 151.

（註九） 專制國家の下に於いて個人の自由を保障する必要を生じ、かくて學說及び立法の實際は國家權力を君主の patrimonium に非ずとし、君主の人格に對して國家人格が區別されるに至つた。けれどもこの傾向は君主を單なる法律の執行者乃至は權限主體たらしむるに至らず、君主には統治權を行使する權利が殘存するのである（Tezner, a. a. O. S 154)。

（註一〇） G. Jellinek, a. a. O. S. 161; Vgl Laband, Staatsrecht, 5. Aufl I, S. 331. 選擧權は不作爲請求の公權と名簿の登錄及び投票の受理・效力の認定に關する積極的公權の結合に他ならない（Thoma, a. a. O. S. 618)。

（註一一） G. Jellinek, S. 169, 170. 議員が處罰され、逮捕されるのは國家機關としてではなく個人たる資格に過ぎないとの理由で、免責特權を個人の請求權と解するのは誤である。議員として國家の必要とするところを具體的に判斷することは、個人のみ能くするところであり、個人たる議員はこの所信を議場で述ぶることが出來る。そして免責特權は、この權能を保護するものだからである(Tezner a. a. O. S. 159)。

要するに國家機關の權限を行使するについて、機關の地位にある個人の利益が存することはいふまでもない。機關意思の中に個人意思が全く存せずとするは正當でない。併しながら包括的自由權と異り、それが反射的效果に非ざる爲には、法規によつて個人の意思力が保護されなければならぬ。官廳の權限が法規を以て規定されることから、直に權限を行使する公權を論定するのは誤である（註一二）。而して法規により個人の利益及び意思力が保護されるときは、權限行使に關する個人の公權（主働的身分）が成立する。これを消極的身分の擴張を以て說明するのは妥當でない。それは決して包括的自由權を伴ふ自然の自由ではなく、主働的身分に屬する特別の不作爲請求權だからである。

（註一二） Vgl. Tezner, a.a. O. S. 185, 186.

五

自由權が包括的單一のものなりや、個別的に成立するやは、二方面より考察することを要する。法律の留保を決定する客觀的な法原理としては、法治主義の原則に基づき個別的自由權を認むることが出來ない。又國家の不作爲を請求する公權としては、所謂自然の自由に基づく實體的公權なる爲に、個別的自由權はただ表見的に成立するに止まる。

個人の公權殊に自由權の本質は極めて困難な問題である。ゲオルグ・エリネックの公權論はその後の多くの學者によつて批判せられ、消極的身分の說明についても亦修正が加へられることは上述の通りである。併しながら、自由權は包括的單一の權利であつて、これを主張せらるる美濃部博士の學說は今日もなほ支持されなければならぬ。

（美濃部教授還暦記念・公法學の諸問題・第一卷・昭和九年）

歐洲に於ける主權の概念

主權は歷史的政治的な概念であつて、絕對不變の概念ではなく、又純粹に法律學的にのみ把握し得る概念でもない。主權が對內的及び對外的に獨立を意味することは今日疑を容れないが、それすら中世以前の國家に於いては明瞭を缺く。況んや積極的に主權なる權力を認め、それが君主に屬するや將た人民に屬するやを論ずる場合には、諸國の具體的なる事情及び時代により相對的に決定するを得るに過ぎない。殊に歐洲中世の國家が近世の國家に發展せる過程は、主權の概念と密接な關聯がある。けれども法學上の補助概念としての主權は諸國に共通なるのみならず (G. Jellinek, Allgemeine Staatslehre, 1929, S. 482)、この他に主權に如何なる積極的內容を認むべきかは特定の國家の法制を理解する上に極めて重要なる問題である。

一

主權は屢々國家の統治權又は國家權力の意味に用ゐられるが、本來は國權の性質なる最高獨立をいふ。國家が他の團體、殊に市町村或は府縣或は聯邦を構成する各邦の如き地域團體 (Gebietskörper schaft）と區別される所以はここにある。

かくの如き主權の概念は國家權力と他の權力の對立を前提とする概念（polemischer Begriff）であつて、それには主として中世以降に於いて、敎會竝びに獨逸帝國の權力及び封建制度の支配に對抗して國家の獨立を主張せんとする歷史的背景が必要であつた。Aristoteles が國家の特性として揭げる自足性（αὐτάρκεια）は中世に決定的な影響を及ぼせるのみならず（Gierke, Johannes Althusius, S. 229）、近世に於いてもこれを認める學者がある（z. B. Haenel, Deutsches Staatsrecht, I, S. 113）。けれどもそれは國家の目的を道德生活の發現に求め、市民を有德に敎育する任務ありとする希臘の世界觀に基づくもので、その自足性は必ずしも現實の國家に備はらず、寧ろ理想的國家に認められるに過ぎない（Rehm, Geschichte der Staatsrechtswissenschaft, 1896, S. 81）。羅馬に於ける maiestas, potestas, imperium 等の用語も單に羅馬民族の偉大なる權力を示すのみで、他の權力からの獨立を意味するものではない。第十二世紀頃から Princeps legibus solutus est なる羅馬法の原理が問題とされ、Aeneas Sylvius は羅馬皇帝の Imperium Romanum を論じ、又その以前に Marsilius von Padua は敎皇の plenitudo potestas を論じたが（Rehm, a. a. O. S. 197 u. Nr. 1）、近世の主權の概念は寧ろこれ等に對抗する佛國王の權力について認められたのである。

佛國では Philippe IV と羅馬敎皇 Bonifaz VIII の衝突に次いで、第十四世紀に敎皇の Avignon に於ける幽囚の頃から主權の意識が明瞭となり、Marsilius の如き熱烈なる民主主義の學說を生じ

(Gierke, a. a. O. S. 125)、又英國ではその地理的環境により既に第十三世紀頃獨逸帝國の支配から獨立し、Plantagenet 王朝の Richard II は國會の記錄にその國の完全なる帝王（entier Empereur de son Roialme）と記されてゐる(Hatschek, Englisches Staatsrecht, I, S. 75)。又第十二世紀以來 Lombardei の伊太利諸都市が伊國王としての獨逸皇帝に服するや或は自由を有するやの問題が争はれ、ここに帝權を認めざる都市（civitates superiorem non recognoscentes）を伊國の學者が羅馬法の意義に於ける眞の res publica と稱したことが、主權の對外的獨立すなはち populus liber を國家の本質と解するに至らしめた(Rehm, a. a. O. S. 193, 194)。

次に主權の對內的獨立は佛國に於ける封建制度の破壞によつて生ずる。第十二世紀 Capet 王朝の Louis VI 以來、佛國王は不可讓の王室財產（domaine royal）を出來る限り擴大せしめ、國王自ら封建諸侯（seigneur）の一人として權力を一身に集めることに努めた。その結果は國王が直接人民を支配して裁判權・警察權・兵權・立法權がその手中に歸し、第十三世紀末には國王は諸侯の上にあつて sovrain なりとの原則が認められた。佛語の sovrain は伊語の soverano と同じく superanus より出でて superior と同意義である(Rehm, a. a. O. S. 193 Nr. 2)。

かくの如き主權の概念を綜合したのは、Jean Bodin の les six livres de la République である。彼以前には諸侯・國王及び皇帝に齊しく主權が認められたのに反して、彼は比較級の souverain, superioritas なる語を最上級の suprema potestas の意味に變じた。

Bodin によれば、主權は一國の絕對且つ恒久の權力（puissance absolue et perpétuelle d'une République）であつて、他の權力に制約されず委託に拘束されず一定の時期に限定されない（la souveraineté n'est limitée, ni en puissance, ni en charge, ni à certain temps）(Hancke, Bodin, eine Studie über den Begriff der Souverainetät, S. 8)。但しこの中で主權の恒久性及び原始的權利なることとの二つの特色は、國權の特性としての主權よりも寧ろ主權の所在を問題とするから暫く措き、ここには次の二點を擧げなければならぬ。

（1）主權とは如何なる權力によつても拘束されず、從つて他の共同體の制御より獨立であり、又領土內の人及び團體に對して最高なることを意味する。前者を對外主權(souveraineté extérieure)後者を對內主權(souveraineté intérieure)と稱することが出來るが(Esmein, Eléments de droit constitutionnel, introduction §1)、それは同一の國權の國際法上及び國內法上の二方面を示すに過ぎない(G. Meyer-Anschütz, Lehrbuch des Deutschen Staatsrechts, S. 24)。

（2）然らば國權は全く無制約であるか。Bodin は「主權者は法律に拘束せらるることとなし」(Princeps legibus solutus est, lex 31 Dig. de legibus I 3) を援用して、これを肯定する。但しこの原理は數世紀に亙つて論爭されたところであつて、これを認める場合にも無條件ではない。就中民族の法的確信より生ずる ius と實證的な統治者の命令たる lex とを區別して、主權も亦神法（ius divinum）又は自然法（ius naturale）の制約を免れず、更に實定法と雖も自然法的根據に歸せしめらるべき限り同樣に主權を制約するものと解される（Hancke, a. a. O. S. 28, 31）。

かかる自然法を認めるときは、國權の獨立が法律上のもので單なる事實上のものではなく、又國權が法律上の權力たることも明かであるが、反對に法律實證主義の立場によるときはこれ等の說明に困難を感ずる。Georg Jellinek は Kant 流の倫理哲學に從ひ、倫理的自律と同樣に法律上でも國家の自律的制限を認め、これによつてのみ主權概念の限界及びその法的概念たる性質を論定し得べきものとする。彼によれば、主權とは、法律上自己を規定し拘束するについての絕對的な能力（die ausschliessliche Fähigkeit rechtlicher Selbstbestimmung und Selbstbindung）を意味する。國權を拘束し或はこれに關する法秩序を變更することは、國權以外の權力によつては不可能であるけれども、國權が自ら定立せる法規に――これを豫め變更せざる限り――拘束されることは主權の概念と矛盾しない。國權は如何なる憲法を制定するかについて自由を有するが、その制定せる何等かの憲法に拘束さるべく、從つて又憲法に基づく法規の內面的拘束力によつて規律される（G. Jellinek, Allgemeine Staatslehre, 1929, S. 477 ff）。

この意義に於ける主權の積極的內容は Bismarck 憲法の下に帝國の權限の權限（Kompetenzkompetenz）の問題として論争された。この用語は既に北獨逸聯邦の時代に發生し、獨逸聯邦が一方的に聯邦各邦に對して自己の權限を擴張し得るやに關するものである。舊帝國憲法第七八條の憲法改正手續によれば、權限の權限に關する憲法自身の制限はその第二項のみであり、從つて例へば組織に關する憲法の規定は帝國の組織權（Organisationsgewalt）により左右することを得るものと解される（Haenel, a. a. O. S. 776）。但しこの他に聯邦各邦の存在・聯合關係の存在及び聯邦の確定目的は、帝國建設の契約的基礎なるが故に權限の權限を制約するものと解する說もある（Meyer=Anschütz, a. a. O. 6 Aufl. S. 588 ff. 但し 7 Aufl. 694 ff. では改說）。

けれども憲法及び條約が國權そのものを拘束する內面的拘束力を國權の自律的制限（staatliche Selbstverpflichtung）として說明するのは不充分であつて、法が規範たる以上は道德的規範と同じく、國權に對しても他律的拘束を認めなければならぬ。Kant 學派に從へば、法も道德と同じく非經驗的な道德人格にその根據を求むべく、兩者共に自律性ありと解される。すなはちすべて他律的に見える法も契約によつて自律性が與へられ、個人を拘束する法は同時に個人の利益に奉仕するものと看做されるのである。併しながら意欲は當爲を生ぜしめず必然を生ずるに過ぎない。從つて契約の拘束力も契約締結者の意思に基づかず法律によるものといはなければならぬ。蓋し自律的制限の說によれば自由意思がその一旦下せる決定を自由に破り得るのはいふまでもなく、それは決して法及び道德を否認することにならない筈であるが、かくては規範の本質と矛盾するに至るからである（別稿、憲法解釋の自然法的色彩、四頁）。

二

主權は本來上述の如く、國家權力の屬性であつたが、當初は國家權力が王權であつた爲に主權論と王權擁護の主張が結合した。一五七七年に出版された Bodin の著書が、宗教上の大紛爭裡にある佛國を救ふ途として、王權の强化を主張したのは明かである。然るにその後王權强化の傾向に對抗して、國民主權の主張が現はれた。國家が君主及び國民とは獨立の目的及び意思力を有する團體なりとする思想は、Albrecht の論文（Göttinger gelehrte Anzeigen, 1837 III）以後と考へられるから（Bernatzik, im Arch Öff R., V. S. 246,247）、その以前に於いて消極的な主權の概念に君權神授或は國民主權の如き政治的要求が結合し、主權が君主或は國民に表現される國家權力を意味するに至つたことは、怪しむに足りない。然らば國家權力の成立する基礎はいづれに求められたか。

（1）　實力說（Machttheorie）。この立場は國家を强者が弱者を支配する關係と看做し、この關係を自然法則に基づき人爲的現象に非ざるものと解するから、唯物論的色彩を帶ぶるものが多い。これに屬する學說として例へば Spinoza が擧げられる。彼は人類が契約によつて國家を建て各人がその固有の力の一部を割いて主權者に讓與するものとすることでは次の契約說を採るが、大魚は小魚を呑む權利あり自然權は自然力なりとする汎神論に基づき、主權は人民を强制し必要なる場合には死刑の威嚇を以て人民を制御し得る力ある人に屬するものとし、主權者がこの實力を失ふときにその位を喪ふとすることで實力說に屬する(J. A. Kalb, Theologisch=politische Abhandlungen von Spinoza, 1826, S. 322, 328)。第十九世紀に至り Karl Ludwig von Haller は國權の基礎を財產力に求めた。すなはち君主とは富裕且つ權勢ありその結果他の者から獨立した人 (home locuples, potens, nemini obnoxius) に他らず、充分に大にして且つ自由なる領土及びこれに伴ふ權力をもつ者は當然に君主の列に加へらるべきものと解する(Haller, Restauration der Staatswissenschaften I, 1820, S. 473, 487)。Gumplowicz は常に如何なる處でも、國家は一民族又は結合し統一せる數民族が他の民族を征服することによつてのみ發生するものと考へ、國家の發展は民族の生活狀態の進步に伴ひ他の民族の勞役を要するに至る爲であつて、自然法則的な必然性あるものとする。又法律は强族が定めて弱族が倚存する狀態に他ならない(Gumplowicz, Grundriss der Soziologie, 1905, S. 195, 196, 198, ff.)。Friedrich Engels に至つては、國家が經濟的な階級の對立を抑制する必要により、そして同時にこの階級鬪爭の眞唯中に發生せる結果、國家は原則として最强力の階級すなはち經濟的支配階級の國家であり、この階級は國家により政治的支配階級となり、壓迫された階級を抑壓し搾取する新手段を獲得するものと論ずる(Engels, Ursprung der Familie usw. 1900, S. 180)。

兵力・經濟力或は警察力の如き實力が國權の發生に必要なることはいふまでもない。けれどもこれのみならば、單なる事實上の威力に過ぎず、何故に國權が法律上正當なる權力なりやは說明されない。Haller の財產說（Patrimonialtheorie）について見るも、領主の支配權の法的基礎はその國家以前の法に求めざるを得ず、自然法を否定せんとして結局自然法を認めざるを得ないのである。又實力のみを以て成立する國權は他の實力により顚覆するを得べく、Spinoza が服從は命令者を作る（oboedientia facit imperantem.）と論じたことは、現實の國家の正當なる所以を說明するよりは寧ろ反對に革命を認むるものといふことが出來る（Vgl. Walter Jellinek, Grenzen der Verfassungsgesetzgebung, S. 15 ff.）。

（2） 契約說（Vertragstheorie）。國權の法的根據を契約に求める思想は、主として猶太及び羅馬に生じ、中世を通して發展せるものである。Samuel が Jahweh 神の名に於いて Saul 王を選び（I Samuel IX, 16 X, 1. XI, 15）、David も亦 Jahweh 神の前で Israel 族の長老と契約を爲し Hebron にて灌油式を行つて王位についたことは（II Sam. V, 3）、國家に於ける統治權の發生に重大なる意味をもつ。羅馬法では皇帝が卽位のときに帝權法（lex regia）を發布し、これによつて人民（populus）が帝權を皇帝（princeps）に讓與せることを示した（Ulpian, Dig. I, 4）。但し Rehm はこの事實を以て契約說の根據と見ることに反對し、その理由として帝權法が pactum に非ずして lex と稱せらること及びそれが君主に義務を生ぜしめず imperium の設定に止まることを擧げてゐる（Rehm, a. a. O. S. 166）。

中世に於いては、選帝侯 (Kurfürsten) が人民の授權によつて選擧權を保有するものと解され、又封建制度が君臣の盟約をその基礎としたるが如きは、何れも契約説の原因たるものであるが、敎會の解釋が國家の起源を人類の原罪によつて必要となれる神の意思に求めた爲に、これを個人の意思に求めることが異端とされ、その結果中世の契約説は專ら統治契約 (Subjektionsvertrag) に關するのみで、社會契約 (Gesellschaftsvertrag) を見出すことは出來ない (G. Jellinek, a. a. O. S. 204, 205)。次に近世に於ける契約説の詳細を論ずることは他の機會に讓る。ただ Georg Jellinek に從へば、個人を契約締結者とする純然たる社會契約説は、最初に新敎の英國に於いて Hooker, Hobbes を通じて主唱され且つ實踐されたること、及び Hobbes の學説が歷史的事實の主張ではなく專ら國權に合理的根據を與へんとするものであり、この點で Locke, Pufendorf 等と異ることに注意しなければならぬ (Ibid., 205ff.)。ここでは契約説の代表的なものとして Rousseau 及び Kant に觸れるに止める。

Rousseau によれば、社會契約 (pacte social) によつて各結社員はその權利の全部を全共同體に委付し (l'aliénation totale de chaque associé avec tous ses droits à toute la communauté) この權利すなはち自然の自由 (liberté naturelle) の代りに、共同體から同一內容の協定の自由 (l. conventionnelle) を受ける。この委付は留保なき (sans réserve) ものであつて、然らざれば委付せざる原權につき各人に自然狀態が存續するから、共同體は必然に壓制的となるか或は無力 (tyrannique ou vaine) となる筈である(Rousseau, Du Contrat social, I, 6)。社會契約によつて生ずる總意 (volonté générale)は契約者各人の意思の總和 (volonté de tous) と異り、各個人の意思の齟齬する部分を相殺した殘存の總體である(op. cit. II, 3)。この總意によつて指導せられ政治體の所屬員に對して認められる絕對的權力が主體 (souveraineté) であつて、それは讓渡し或は分割するを得ない (inaliénable, indivisible)(op. cit. II, I, 2, 4)。故に統治者 (rois, gouverneurs) に對して人民が服從することは契約によるのではなく、單純なる主權者の官吏(simples officiers du souverain)として統治を委任(commission)した爲に過ぎない(op. cit III, 1.)。法はこの總意の行爲 (actes de la volonté générale) であるが 主權は他の者により代表されることが出來ないから、議會の制定する法律は眞正の法律でない (op. cit. II 6, III, 15)。

G. Jellinek は Hobbes の學說を以て單數契約說と爲し、反對に Rousseau については統治契約を認めることが出來ると解するが(G. Jellinek, a. a. O. 208 Anm. 3; 213 Anm.1)、前者の當否は暫く措き、後者が單數契約說に屬することは明かであらう。なほ Rousseau の所說が原約の歷史的存在を主張するのでなく、國權の正當な基礎を說明せんとするものであつたのはいふまでもない(Gierke, a. a. O. S. 348)。けれどもこの點で一層徹底したのは Kant である。

ここでは原約(der ursprüngliche Kontrakt)は明瞭に、これによつてのみ國家建設の適法なることとを考へ得べき理念（Idee）と解され、歴史的證跡の有無は敢へて問はない（Kant, Die Metaphysik der Sitten, 37, 52）。法は一人の意欲が他の意欲と自由の普遍法則に從つて結合される爲の諸條件の全體である（Ibid., Einleitung in die Rechtslehre §B）。蓋し人の自然狀態は不正な狀態（status iniustus）に非ずとするも客觀的には正義なき狀態（status iustitia vacuus）であつて、各人は自己の權利思想に從つて行動するから、權利の爭（ius controversum）あるときはこれを決すべき裁判官がない（Ibid., §44）。從つて人類の法的團體及び立法權が各個人の意思の合致によるべきことは理性の要求となるからである（Ibid., §§45 46）。なほ原約の効果については Rousseau と同じく全部委付を認める（Ibid., §47）。

Neukantianer に屬する Radbruch は、契約說が現實の國家を說明するものでなく國家の使命目的を示すものなることを指摘し、又契約を締結する個人は經驗的な個性を具備する人間ではなく倫理的理性的な人格を意味するものと解する（Radbruch, Rechtsphilosophie, S. 54, 55）。この他契約說に對して原約が契約締結者の子孫を拘束する根據を說明するを得ずとする論理的非難があるが、これに對して Rudolf Smend が契約說を社會學的或は寧ろ現象學的理解の試みとして動的に解すべく、從つて彼の所謂統合（Integration）或は日々反覆される國民投票（tägliches Plebiszit）の如き觀念と通ずるものとしてゐるのは、注目すべき見解である（Smend, Verfassung und Verfassungsrecht, S. 69）。

（3） 國權の基礎に關する保守的傾向の學說は歷史的若くは宗教的であつて、通常は國家を有機體と考へ、恰も人體に於ける如く全體の爲に部分が存するのであり、部分の爲に全體が存するものに非ずと主張する。元來國家を有機體(IKor. XII, 12—)と見ることはこれに神祕的な生命の力を認めるもので國家權力を承認するものは國民の意思ではなく、歴史と宗教殊に主權者の受くる賜物（Charisma）の如く、すべて上より來るものと解するのである(Vgl. Radbruch, a. a. O. S. 66)。

Platon によれば、國家（Politeia）は一面的な才能を備へたる人民の缺陷を補足する必要により發生し、個人に存するところを雄大なる姿で認識せしめ從つてこれにより正義（dikaion）の本質を知り得べきものとし、理想國家は完全なる人に比することが出來ると考へられる。各人は國家に於いてその缺くべからざる職分をもつ。國家は生物の如き有機體であり、よき憲法は眞の教養ある者により統治される場合に保障されるが、それは貴族政治なると君主政治なるとを問はない。政府の最も重要なる義務は青年の教育に努力することである(Consatntin Ritter, Platons Staat, 1909, S. 19, 20, 38, 40, 45, 50, 65, 109)。

St. Augustinus は神を愛する者の團體たる神の國（civitas Dei）と罪により神を離れたる者の團體たる地の國（civitas terrena）とを區別する。けれども彼の神國論（de Civitate Dei）の名は神の都(Psalm 87, 3; 48, 2)に由來し、必ずしも政治的國家を意味せざるのみならず、それは羅馬帝國の滅亡につき基督教が責任を負ふべきものに非ざることを論ずるもので、その論旨は法律論といふよりは寧ろ宗教的倫理的である。皇帝は神の從者であるが、教會に服從する法律上の義務あることを論じたのではない。國家哲學的乃至政治學的問題に關しては從來の學說に從ひ、社交性或は一般契約による社會の說明を認めてゐる(Rehm, a. a. O. S. 156, 157)。けれども中世の學者は彼の說から統一主義(principium unitatis)なる社會學的原理を演繹し、大宇宙(macrocosmos)は一の靈一の法律による有機體であり、その各部分は全體の模像すなはち小宇宙(microcosmos)として神の意思による調和を保つものとし、ここに公同敎會と世界帝國の兩秩序に現はれる統一的政治體を考へる。Luk. XXII 38 に基づく二劍說(Zweischwertertheorie)を廻る政權(imperium)と敎權(sacerdotium)の爭は、この統一論(argumentum unitatis)に於いて Bonifaz VIII, Thomas Aquinas の如く敎權の優越を主張するか、或は Marsilius von Padua の如く帝權の優越を主張し又は Dante の如く敎權も帝權も共に神より直接與へられると解するかにある。小宇宙も大宇宙と同じく、單主統治(monarchia)が要求されることは爭がない。降つて Luther, Melanchton, Zwingli, Calvin の如き宗敎改革者は國家の權威につき基督敎的使命とこれに伴ふ神授の權利とを認め、これより「凡べての者上にある權威に服ふべし、あらゆる權威は神により立てらる」(Römer, XIII, 1)との Paul の敎を徹底せしめた(Gierke, a. a. O. S. 60—65)。

往時の Platon に倣つて、汎神論的有機體說を採るのは Hegel である。彼によれば國家は自意識ある社會道德上の實體(die selbstbewusste sittliche Substanz)であつて、家族と市民社會

(bürgerliche Gesellschaft) の原理の綜合である。その内面的構成すなはち憲法は國家獨自の發展を示し、他の國家との關係ではそれ自身特殊の個體であつて、精神の普遍的理念が現實に發展する世界歷史に於ける1の要素に過ぎない(Hegel, Encyclopädie der philosophischen Wissenschaft, §§ 535, 536)。國家は客觀的精神の最高の辨證法的發展段階にあり、それ自身理性的であり、從つて國民たることは個人の最高の義務である(Hegel, Philosophie des Rechts § 258)。

この他 Stuart 王朝を擁護する Robert Filmer の Patriarcha では國家の起源を家族に歸し、君主を家長として仰ぐ民族的傳統を强調する。これによれば Adam はその子孫に對して父權のみならず王權をも保有する。神は Adam に全世界を與へたから彼は當然に絕對的支配者であり、その權利を族父すなはち君主に傳へたのである。故に絕對の王權に反抗する者は Adam に對し從つて又神に對して反抗する者となる(G. Jellinek, Adam in der Staatslehre, S. 11)。その論據は甚だ不完全であるが、齊しく保守的傾向に屬する學說である。

地方自治の意義

一

自治の概念には政治的意義と法律的意義が區別される。前者は專務職たる官吏に非ざる者殊に名譽職による行政であり、後者は國家に服しその一部を爲すもなほ國家に對して獨立なる法人殊に地方團體とその他の公共團體による行政である（Meyer-Anschütz, Lehrbuch des deutschen Staatsrechts, 7Aufl. S. 386.）。

この兩概念は必ずしも相伴はず、政治的意義の自治は地方自治の他に國の政治についても考へられると同時に、地方團體による行政についても比較的充分に政治的自治が認められる場合と、政治的には自治が認められず少くとも不充分なる場合がある。從つて地方團體は法律的意義では自治團體であるが、政治的には自治が認められる主働的團體と、然らざる受働的團體に分かれる（美濃部、日本行政法、上、四八七頁）（但し G. Jellinek, System der subjektiven öffentlichen Rechte, S. 268; Hatschek Art "Selbstverwaltung" im Stengels Wörterbuch St Verw R, S. 423. では受働的團體の語を法人格なき場合に用ゐる）。けれどもそれにも拘はらずこの兩概念が本質的に關聯することを見逃してはならない。政治的意義の自治は英國の self-government の制度を Gneist が獨逸に採用しようとして構成したところであるが、その特色は後述する如く自治を以て國家組織と社會を連結する中間組織たらしめて、これにより兩者の對立を止揚せんとするものであり（Gneist, Selfgovernment, Kommunalverfassung u. Verw Gerichte in England §§ 7, 147.）、從つてこの意味に於いては法律的意義の自治についても妥當しなければならぬ。法律的意義の自治は佛國、白國及び獨逸等に認められる理論であるが、單に國家に對して獨立なる法人格が認められることのみでは自治の本質を明かにすることが出來ない。その法人格に基づき國家に對して極端なる獨立を要求することが、中央集權の近代國家の主義と矛盾するのはいふまでもないが、反對に國家が地方團體に對して恰も官廳に對するが如き嚴重なる監督を加へるときは、最早自治の本來の使命從つて官治行政に對する存在理由は消滅するものといはなければならない。私は自治の兩概念の本質的な關聯を論究することによつて、初めて地方自治の意義を明かにすることが出來るものと考へる。

固より自治の意義は時代により又國によつて同一ではない。けれども我が法制では定義を明確に與へてゐないから、これを解釋運用するには理論によつて自治の意義を明かにすることを要し、これが爲には諸國の學說をも參照しなければならぬ。組織法上國から獨立なる法人格が與へられることの他に、自治には如何なる要素が認められるか。宇賀田教授は自治の要素として、團體自身の機關によること、團體に固有の事務があること、團體が自己の責任を以てこれを行ふことを擧げられる（宇賀田、地方自治の基本問題二三八頁）。けれども固有事務は暫く措き、地方團體が自己の責任を以て行ふことは獨逸市町村制第三二條の示す如く團體の特定機關が責任者として團體の一切に關する責任を自ら負ふべき意味に解されるから、市町村長と市町村會が獨立に存在し、又監督官廳の認可權が留保される場合の多い我が法制では、この要素を具備してゐない(同上、二六〇頁以下)。佐々木博士は自治を以て國家の下にある團體がその存立目的として自己の名に於て、その團體に關し國家より委任されたる作用を行ふことと解される。存立目的として國家より委任されたる作用とは、地方團體に於いては所謂固有事務であつて自己の名に於いて行ふものである(佐々木、日本行政法總論六七八頁七六八頁)。これにつき渡邊博士によれば、或程度に國家意思から獨立して行はれること、卽ちその實現すべき公益は一般國家的見地に於ける公益と矛盾背馳するを得ざるもなほこれとは異る特殊團體的見地に於ける公益なることを要し、從つてその行政に於ける公益判斷は國の行政機關の指揮によつて左右さるべきものに非ざることをいふのである。このことは法の根據を要することと共に、自治行政に對する監督が國の行政組織の內部に於ける機關監督と異る所以である(渡邊、日本行政法、上一七〇頁一八五頁)。要するに法律的意義の自治が公共團體による行政なる以上國家とは獨立の意思機關により且つ獨立の利益に基づいて行はれる。そしてこの獨立の利益は地方團體にあつては固有事務の範圍を意味する。それは第一に、地方團體がその一般の權能に基づいて當然に行ひ得べく特別の法律規定を俟たざるのみならず、第二にこれに對する監督は機關監督の如き强力なものたり得ない。これ等の問題を檢討するのが本稿の目的である。

なほ地方團體の自治權は具體的に特定された內容を有せず、從つて權利といふよりは寧ろ法的能力(rechtliche Fähigkeit)であり(Lamp, Das Problem der städtischen Selbstverwaltung, 1905, S. 92.)、それは官治行政又は地方團體の委任事務に對する固有事務の範圍又は存否の問題に他ならない。固有事務と委任事務の區別は理論上は特別地方團體(殊に三大都市の區)についても考へられるが、その固有事務は普通地方團體の場合と異りその範圍・內容が比較的に明瞭であり、又市町村の委任事務のみを存立目的とする町村學校組合、學區の如きは普通地方團體がその義務を充す爲に設立するものであるから、その固有事務に對しては恰も普通地方團體の委任事務に對すると同樣の監督が加へられるのはいふ迄もない。故に本稿では主として普通地方團體について固有事務と委任事務の區別を論ずるに止める。

二

我が國最初の市町村制(明治二一年法一號)によれば、市町村は原則として從來の區域により、これに法人格を認めその公共事務は官の監督を受け自ら處理すべきものと規定される(一條二條)。それは一は隣保團結の舊慣を存重してこれを擴張し都市及び町村の權義を保護して地方共同の利益を發達せしめ臣民の幸福を增進するものであり(上諭)、同時に一は國家の基礎を鞏固にし、人民をして國事に任ずる實力を養成し將來立憲の制の基礎たらしめるものであつた(市制町村制理由)。當時の區町村は不完全なる自治體であり郡及び府縣は主とし行政區劃に止まつたが、この法律を以て市町村が完全なる自治體となつた。德川時代の五人組制度、財產權の主權たる村及び機關たる庄屋、名主の如き自治制度が明治維新の中央集權により一旦全く官治行政に變じ更に再び市制町村制によつて自治が認められたことは、恰も獨逸に於て中世都市の自治權が近世の中央集權的國家の下に大に抑壓せられた後 Stein の市制(一八〇八年)により回復されたのと軌を一にする。從つて我が地方自治制を論ずるに先だち諸國の自治權の發展消長を一瞥しよう。

英國の Self-government の發達はノルマン王朝がその以前に存したるアングロサクソンの自治制度と妥協したことに特色がある。この王朝は當初より英國に於ける封建制の發達を阻止し中央集權を企てたが、ノルマンの要素はアングロサクソンの法制を破壞する力なかりしのみならず、封建制を阻止するにはこれを維持する他なかつたので從來の自治制度を存置してこれを新王朝の理念によつて生かしめんとし、從來の州 (shire) 即ち county が獨逸に於いて封建制度に發展せると異りここに國王の任命する sheriff を置き裁判・軍政の他行政全般殊に警察權を認めた。然るにこの警察權が濫用されたので自由大憲章以後の中央と地方の對立を生じ、遂に Plantagenet のエドワード三世の改革により Justice of Peace の制度が認められた。治安判事は直接又は間接に中央政府の任命するところであるが、地方の富有なる階級中より任命される名譽職である。それは國王の委任により裁判事務を扱ひ又警察事務・衛生事務等をも管轄する。かくて一度官治行政化せんとした地方自治は再び警察作用及び課税作用にまでも認められるに至つたと共に(Gneist, Das englische VerwR., 1877, S. 256—258.)、名譽職による裁判權の行使を中心として行政事務が處理されたことは裁判事務從つて又國家事務と地方行政事務の區別を極めて不明瞭たらしめるのである(Slawitchek, Selbstverwaltung und Autonomie S. 49.)。

かかる英國の自治制度は Gneist によつて獨逸に傳へられた。彼に從へば自治行政は一種の國家行政であつて、當該地方團體の租税を以て執行し得る範圍なることと名譽職によつて行はれることがその特色である(Gneist, a. a. O. S. 264.)。この學説は自然法的立場より地方自治を規定する舊プロイセン憲法第一〇五條の反動として前世紀後半の獨逸に影響を與へた。すなはち地方團體に固有の自治權を否認しその事務はすべて國家の委託によるとする學説であつて、その結果は地方團體の法人格及びその組織、權能が專ら國の法律を以て規定され左右されることを認め、地方自治の特色をその主體が國家と異る地方團體なる組織法的性質に求めるものである。例へば Bornhak は法人としての地方團體の存在は國家が欲することにより且つその限度で認められるものに過ぎず、その行政は國の事務の執行であり地方團體の機關が地方團體の負擔に於いて執行することに官治行政との差異を求める(Bornhak, Preussisches Staatsrecht, II, S. 102, 103, 105.)。Loening によれば地方團體はすべて國の機關であり、その職務は國の法律によつて履行すべき國の事務であるから、地方團體の固有事務と委任事務との區別はない(Loening, Lehrbuch des deutschen Verwaltungsrechts, S. 32.)。 それは正に、君主により地方團體の理事者が任命されその職務が直接に國家より委託せられ、從つて自治行政に關しても國王に對して責任ある英國制度の特色を示すものといはなければならぬ(Vgl. Gneist, a. a. O. S. 256.)。

佛國の自治制度は當初は獨逸と同様に、封建時代に有力なる北部都市が十二世紀頃から國家との契約 (chartes) を以て自治權を付與されたが、佛國の國家思想は比較的に強く殊に國家の財政難による賣官は國と都市の關係を次第に私法的なものに墮した。然るに Montesquieu の權力分立論が國民主權の下に主張されるに及んで、專制國家に抑壓された地方自治に生命を與へ、これを國家に協力せしむるに至つた。Marquis d'Argenson は地方團體に合議機關を置き內政財政の如き自己の事務を處理し又或程度の行爲能力を認めらるべき權利ありとし、更に Turgot は全國を provinces に更にこれを communautés, villes, villages に分け、これに municipalité を置きその代議會に內政及び稅政が委任さるべきものとした。この理論は直には實現されなかつたが、一七八九年國民議會で問題となつた。市町村に立法司法行政の三權を付與することが佛國をして米國の如き聯邦制たらしむる虞ありとして、同年九月廿九日 Thouret の草案は市町村を國の行政區劃としたが、なほ彼の答辯によれば、地方團體はその私的事務を包括する固有の範圍を有し、この固有事務は立法及び執行の性質を具へ常に地方團體の機關によるのである(G. Jellinek, System der subjektiven öffentlichen Rechte, S. 278.)。 この最後の點は d'Argerson, Turgot と同一の思想で權力分立に從ひ第四權力としての pouvoir municipal を主張する如く見える。固より一方には市町村を行政區劃とする國民主權の主張があつて、その調和が同年一二月十四日の法律第四九條に於ける市町村の固有事務と委任事務の區別で示された（私の、法律による行政、一五八頁註一參照）。けれどもかかる自然法の思想は佛民族傳統の國民主權の思想と異るものであり、一七九三年憲法第一章は國民主權を明かにし、遂に共和暦八年第五月二八日法律は縣に官吏たる知事を置き、市町村長を嚴重に監督せしむるに至り、再び地方自治は抑壓されるに至つた。これ Schulze（Preussisches Staatsrecht, II, 1877, S. 2.）が佛國に於いては國家と個人のみが權利を有し、その中間に介在するすべては、何時にても自由に變更さるべき行政機構に過ぎずといつた所以である（Slawitschek, a. a. O. S. 60—70.）。

白國の Flandern 及び Braband 地方では夙に都市よりも寧ろ州を中心として自治が認められ、Burgund の支配下に、教會貴族及び都市の代表者より成る機關を有する。一八三一年の白國憲法は立法權・執行權及び裁判權と相並んで第三一條に專ら地方團體の利益に關する事務が conseils communaux ou provinciaux により議決さるべき旨を規定し、更に第一〇八條で地方團體の基礎法ではその機關の直接選擧、地方議會の議事公開、豫算及び決算の公表等を規定する。三權に對して第四の權力たる pouvoir provincial et communal を認めたことは佛國の pouvoir municipal の無批判的な繼受であるが、地方團體の內部的組織に於ける權力分立制は佛法と異り白國固有の歷史的沿革による(Slawitschek, a. a. O. S. 71 ff.)。佛國の自治權の理論は白國に於いて歷史的背景を與へられ、これが獨逸の立憲理論に於ける自然法說によつて基本權になつた。Rotteck によれば、すべて國家は地方團體の結合より成りこれより權利を取得せるもので、地方團體は國家の創造によらず、固有の政治的共同生活を有し、從つて代表者の選擧、公民の資格付與、財產管理、地方警察及び課稅權は國家より獨立の自治權に屬する最重要なる機能である(Rotteck, Lehrbuch des Vernunftrechts, III, S. 469 ff. zitirt in Jellinek, System, S. 280.)。かかる學說は一八四八年乃至五〇年の獨逸の立法に影響を與へ、四八年普國憲法第一〇四條、四九年墺國憲法第三三條、同年フランクフルト帝國憲法第十一章第一八四條等は何れも地方團體の基本權を規定する(Vgl. Hatschek, "Art. Selbstverwaltung" in Stengel-Fleischmann, Wörterbuch, III, S. 419.)。

獨逸中世に於いて地方農民が領主の支配に服し封建制の下にあつたのに對して、都市には自治權が發達した。元來ローマ思想は Ulpianus の、ローマの國家に關する法は公法にして各個人の利益に關する法は私法なり (Publicum ius est, quod ad statum rei Romanae spectat, privatum quod ad singulorum utilitatem.) とある如く、都市國家の沿革により統一國家の觀念であつて、國家の外には特別の公權力を認めない。それは領土の基礎による統一國である。然るにゲルマン思想では公法私法の區別が明瞭でなく、それは專ら種族に歸屬する關係に存し、從つて人的性格で領土的性格はない(Schröder, Lehrbuch der deutschen Rechtsgeschichte, 2Aufl. S. 222.)。この民族性の差異はゲルマン民族がローマ帝國に侵入せる後も當然には消滅せず、ただ國權が神意に基づくとする思想はゲルマンの貴族殊に國王が神より出づる血統の子孫とする傳統に一致した結果、國王の權力は次第にローマ法の思想の影響を受けて民權を壓迫するに至る。カロリンゲル朝の Grafen はかかる使命を果すべき筈であつたが、封建制度の發達により民權はその人的性格を失つて土地法となりつつも存續した(Slawitschek, a.a. O. 18 ff.)。すなはち國王の權力が衰微して、大なる私有地を領する者がその土地につき Graf の行ふべき支配權を行使するに至り、自由農民の人的要素による自治は衰退した。これに反して都市では市民の團體が次第にその固有權限を以て地主又は貴族の支配的權力に對抗し、都市行政より Stadtherr の權力を驅逐せんと努めた(Blodig, Selbstverwaltung als Rechtsbegriff, S. 56, 57, 64)。Preuss のいふ如く封建制度の發達は村の自治を阻止し、反對に都市の自治を助長する。封建制度の下で公權力が代償的可讓的權利となり、これが都市の經濟的優勢を政治的權能に交換することを可能ならしめたのである。都市の自治的事務には警察事務、課稅、商工業、軍事、裁判等の事務があつた(Preuss, Stadt und Stadtverfassung, S. 1, 2.)。これ等の自由都市すなはち Reichsstädte, Landstädte は第十四世紀以來 Reichstag 又は Landtag の表決權を有し、殆んど國家內の國家たる存在となつた(Schulze, a. a. O. Bd. I, S. 455, 456.)。この趨勢は都市の機關の世襲化による腐敗と諸侯の警察國的權力による干涉とによつて阻害せられ、一七九四年の §§86—178 Teil II Titel 8 ALR. によれば、都市は privilegierte Korporationen と稱し、國家はその目的を達する爲にこれに特權を付與することあるも、その本質は私法上の團體に過ぎぬものと解する（§ 108.）。Magistrat は國王の任命又は選擧によるが、その行政は國の嚴重な監督に服し條例の制定、租税の徵收、財産の處分等は國の許可を要した。

獨逸都市の自治を近代的基礎の上に再現したのは一八〇八年 Stein 市制である（Gierke, Die Steinsche Städteordnung, S. 4.）。この市制が町村の自治に及ばず、又裁判權及び警察權を假令市參事會に對する委任事務の形式にせよ存續せしめ（Vgl. Meier, Französische Einflüsse auf die Staats-und Rechtsentwicklung Preussens im XIX Jahrhundert, S. 332.）住民につき市公民と公民權なき者を區別し（§§ 5, 6, 14, 40.）國の監督權を制限して監視權・訴願の裁決權・市參事會員選擧權及び條例の認可權（§ 2）に止め、殊に財政に關して支出表の拔萃書及び公表せる支出の檢査の如きに制限せること（vgl. Schoen, Das Recht der Kommunalverbände in Preussen, S. 28.）は正に中世獨逸都市の制度の復活である（Meier, a. a. O. S. 33, 337, 346.）。けれども他方に於いて、ナポレオンに蹂躙されたプロイセン王國を再建する爲に人民をして公共行政に參加せしめ、都市の自治を以て國家組織の基礎たらしむる目的は明かで、殊に市參事會に委任事務を認めた結果は、一般地方行政についても動もすれば國の機關監督に服せしむる虞を生じた。この點ではこの市制は Gierke の指摘する如く、單なる復古ではなく都市に國家と本質を異にする地方團體の地位を認めるものである（Gierke, a. a. O. S. 17.）。Stein 市制の示す協同體の思想はその後の地方自治制をして佛國に於けるが如き自治の否認に陷らしめなかつたが、國の構成要素としての市の地位はその後中央集權の趨勢により再び國の强大な監督權に服せしめられ、既に一八三一年のプロイセン修正市制でもこれが認められる。ただ七月革命及び二月革命により佛國及び白國の自治權の制度の影響を受けて一時地方自治が强調されたが、再び第十九世紀後半に至り英國の自治思想の輸入と相俟つて國の監督權が强化され、地方團體の獨立は相對的なものとなる。

我が法制は上述の如く地方團體の法人格を認め、その固有事務を規定するから、英國自治制度及びその影響の下に自治事務を悉く國家の委任せるものとする學說はこれを採ることが出來ない。而して地方團體の自治權を認める學說は二種類に大別される。一は中世の歷史的事實に基づき、地方團體の自治權はこれに固有のもので國家はこれを承認するに過ぎざるものとする學說であり、一は地方團體の自治權が國家より付與されたことを認めつつ、しかも或程度に國家意思より獨立し地方團體の特殊利益に關して行はるるものとする學說である。それは Stein 市制に於いても明かに示される二傾向で、兩者は相互に關聯し相對的に區別されるに過ぎないが、なほ一應これを對照せしめることが出來る。前者と雖も地方團體の獨立を個人の自由權の如く當然に自然法的に基礎付けるものとは限られず、寧ろこれを以て國家と個人との對立を止揚して國家の健全な基礎を與へる爲に必要なりと考へるのであるが、何れにしても地方自治に一定の內容を認め國家と雖も濫にこれを侵すべからずとすることに特色がある。後者も亦地方團體の事務に固有事務と委任事務とを區別するけれども、その限界は國の法律が創造し且つ左右する實定法的なもので固有事務の範圍は相對的に決定されるのみと解する。我が法制の解釋に當つてこの何れの學說を採るべきかを、次に論じなければならぬ。

三

現行市制第二條に曰く、「市ハ法人トス官ノ監督ヲ承ケ法令ノ範圍內ニ於テ其ノ公共事務竝從來法令又ハ慣例ニ依リ及將來法律勅令ニ依リ市ニ屬スル事務ヲ處理ス」。町村制第二條及び府縣制第二條の規定亦同樣である。ここに所謂其の公共事務が地方團體の固有事務（eigener Wirkungskreis）を意味するのはいふまでもない。全國的な利害關係ある事務は特別の法令に基づき地方團體の委任事務たる他は國の事務として處理されるのに反して、主として當該地域の公共の利益に關する事務は特別の規定を俟たずしてその地方團體に權能に屬するのである。

これに關して第一に問題たるは、この固有事務の範圍が法令により自由に減縮するを得べきものなりや殊にこれを否認することも可能なりやの問題である。

先づ市制第二條に「法令ノ範圍內ニ於テ」とあるのは、命令を以て自治權を制限することを認めたのではなく、公共事務の處理についても一般法令の規定に從ふべき當然の法理を示すに過ぎず、從つて法律が規定する自治の權能は法律によるに非ざれば制限するを得ない（清水澄、外四氏、市制町村制正義一一二頁以下）。これに反して地方團體の自治權が實定法を以て國家より委託されたるものとすれば、法律を以て如何なる制限をも加ふるを得べく、固有事務と委任事務の絶對的差別は考へられない。宇賀田教授はこの立場を採り、しかもなほ「かくの如く解釋することが自治のために甚だ無力なりとすれば、寧ろ自然法說に還つて地方團體の本質を吟味すべきでなからうか」と疑問を殘してゐる（宇賀田、前揭二五九頁）。けれども地方自治制が憲法の示す中央集權主義の例外たるは明かである。我が自治制は憲法實施以前の法律により規定せられ、從つて憲法第七六條により憲法の下に受納されたが、包括的な課稅權自主權その他廣汎なる公行政を處理する權能は單純なる法律の委任を以ては說明が出來ない。換言すれば憲法規定の例外は憲法自ら定むべきで、地方自治の基礎は憲法が暗默に承認せるところと解する他はなく、從つて獨逸共和國憲法第一二七條の如き明文の規定なくとも自治組織の保障（institutionelle Garantie）を認めなければならぬ（Vgl. Anschütz, Die Verfassung des Deutschen Reichs, 12 Aufl. S. 510; Thoma, in Nipperdey, Grundrechte u. Grundpflichten, I, S. 21, 38.）。

固より法律を以て地方自治を制限するもその本質を奪ふことを得ずとすることは、國家の統一を薄弱ならしめるものではない。反對に舊市制町村制の上諭及び理由に明かなる如く、地方自治を保護發達することが國家の基礎を鞏固ならしむる所以である。獨逸に於いても夙に Zachariä は地方團體の原始的權利の範圍（originäre Rechtssphäre）を認めるが、反國家的ではなく國家の監督權の下にこれを健全なる國家の基礎と考ふるものであり（Zachariä, Deutsches Staats-und Bundesrecht, S. 574; Vgl. Gluth, Lehre von der Selbstverwaltung, S. 9.）

Gierke は地方團體を以て國家と同等なる政治團體であり國の立法によらず固有の人格あるものと認め、地方團體の固有事務の獨立を特に强調して委任事務をその負擔に他ならずと解するが、これを以て中世都市に於ける如き國家との對立を固執するものとは考ふるを得ない(Gierke, Deutsches Genossenschaftsrecht, I, S. 743ff. 759; Vgl. Blodig, a. a. O. S. 35; Lamp, a. a. O. S. 47, 48.)。Gierke に從ふ Preuss も亦國家と地方團體との間に觀念的區別なしとして固有事務と委任事務の區別を否定し、更に獨逸共和國憲法第一二七條を以て國家に對する地方團體の公權を規定するものと解し、地方團體に關する法律の規定はその固有の權能を成文化せるのみで權能の委任に非ずとするが、地方團體に國家と同樣の組織すなはち代議政治を要求することによつて兩者の二元的對立を回避する(Preuss, Gemeinde, Staat, Reich als Gebietskörperschaften, S. 206, 228ff.; Vgl. Lamp, a. a. O. S. 51ff.)。蓋しこれ等の學說は國の絕對なる中央集權と個人との對立を調停するに爲に、兩者の中間に或程度の獨立あり固有の生活目的ある地方團體を認めんとする所謂調停主義(das vermittelnde System)を含むからである(Vgl. Gluth, a. a.O. S. 12)。

次に地方團體の固有事務すなはち公共事務の範圍については、我が法制の解釋上若干の問題がある。Zachariä はこれについて自主權(jus statuendi, Autonomierecht)公民權の付與及び吏員の任命に關する權、財產管理及び課稅權、地方警察及びこれと關聯する裁判權を擧げる。但しここに地方警察(Ortspolizei)が地方的危險及び不利益に對する保安警察の他に市場取引、道路・學校等に關して地方的福利の增進をも目的とすることはいふ迄もない（Zachariä, a. a. O.S. 576ff.）。更に Preuss は地方團體の固有事務の性質につき、個人の人權に關する G. Jellinek の理論及び獨逸聯邦各邦の固有の統治權に關する Laband の理論を援用する（Preuss, Städtische Amtsrecht (in Preussen, S. 134, 135.)）。これ等の學說に徵すれば、恰も個人が他人の權利若くは自由を侵犯せざる限り原則として自由に自己の利益を保持し實現するを得ると同じく、地方團體も亦その區域內の地方的公共の利益の爲には自由にその事務を處理する能力を認めねばならぬ。けれども第一に區域內の公共事務とは營利事業を絕對に排斥するものなりや、又區域外にて地方團體はその權能を行使するを得ざるかが問題であり、第二に自由に處理することの意味を吟味することを要する。

（1）先づ地方的公共事務が警察を含まざることは明かである。佛國及びその制度の影響を蒙むる南獨諸邦の如きと異り（渡邊、地方自治と警察 法學論叢二六卷六號）我が警察は國家の獨占する事務である。舊市制（七四條）町村制（六九條）には法律命令により市町村長が管理する地方警察事務ある旨を規定するが、それは委任事務なるのみならず、殆んど適用なき法文にして後に削除された。地方團體の區域外に於ける事務については、市町村長に對する委任事務に關して道路法第一五條、都市計畫法施行令第一條の如き規定があるが、固有事務についいては格別の規定がない。けれども貯水池・公園地・墓地・軌道の如き事業を區域外にて經營することも、それが區域內の地方的公共利益の爲に必要なる限り適法といはなければならぬ（美濃部、前掲五九一頁）。但しその地元市町村の自治權と或る程度に牴觸する虞があるから、豫め關係市町村の間で公務の執行容認の契約を締結すべきものである（美濃部、公法判例、大系、上、二三號、二六九號事件參照）。次に地方公共の利益の爲なる以上は地方團體が營利事業を爲すを妨げず、又特定の事業に寄附又は補助を爲すことが出來る（府縣制一〇一條、市制一一五條）。佐々木博士は市町村民直接の利益の爲なるか、或は地方團體存立の維持に必要にして且つ地方人民の直接の利益を害せざる限度なる場合に營利事業を認められるが（佐々木、前掲七六九頁）、後の場合は收益財產の管理の如く法律が明かに認めるものの他は爲し得ざるものと解する（美濃部、前掲五九二頁）。

一般に營利事業は人民の營業と競爭することになるから、特に公益の必要ある場合に限るべきはいふ迄もない。これ等に關して判例は最初は消極的な態度を示し、例へば漁業は純然たる一種の營業にして公共事業たる性質がないから町村の爲し得ざるところとし（明治二八年五月二九日行政裁判所判決）、又町村制第二條に所謂公共事務とは町村が義務として若しくはその公益上行はざるを得ざる事務を指摘し女子師範學校敷地の補償の如きを包含せず從つて町村が該補償費を町村稅として賦課せるは違法なりとしたが（明治三八年七月九日行政裁判所判決）、最近の判例はこれを改め、市町村が營利事業たる漁業權の主體たり得べきものとし、又村が縣道敷地を國に寄附し溫泉浴場の廣告費に補助したることを適法とし、ただ町が一營利會社に補助契約を結んだことを違法としてゐる（美濃部、公法判例大系、上、二七〇號、下、一四七〇號事件）。

（２）固有事務は地方團體がこれを特別の規定を俟たず自由に處理する能力がある。ここに特別の規定を俟たずとは地方的公共事務が地方團體の權利能力の範圍に屬することを意味するに過ぎない。從つて具體的には國家の設權行爲を俟つて初めて爲し得る事業もある。例へば軌道・電氣事業・瓦斯事業・自動車運輸事業の如し。電氣事業法施行規則第一條、地方鐵道法施行規則第三條等は地方團體がこれ等の事業を經營する場合にも一般私人による場合と同樣に特許を要するものと規定するが、それはこれ等の事業が地方團體の固有事務に屬するからであつて、然らざれば法律の明文を以て委任せざる事業をこれ等の省令により委任することは無效である。これ等の事業を經營するには市制町村制の監督の他に特許企業に對する特別監督に服するが、それは固有事務たることと矛盾しない。次に水道の布設（水道條例二一條）下水道の築造（下水道法一一條）の如く內務大臣の命により執行が義務づけられる場合にも、その事業は市町村の存立目的に屬し當然に爲し得るところであるから固有事務たるを失はない。汚物掃除の如く法律上當然に市の義務たる場合は（汚物掃除法二條三條）最も委任事務と類似するが、これも亦性質上地方的公共事務であつて町村でも當然爲し得るところであり、市に於ては都市の衞生警察上特に強制されるに過ぎないから固有事務に他ならない。故に Giese が必要事務と隨意事務との區別を委任事務と固有事務の區別に一致すると解するのは誤である（Giese, Reichsverfassung, 1925, S. 334.）。

委任事務は地方團體の存立目的以外に於いて特別の法令により委任された事務である。委任事務には公法上の契約により他の地方團體から委任されることもあるが、常に委任される地方團體の存立目的に屬せず、從つて自治負擔(Selbstverwaltungslasten)であるから(美濃部、日本行政法、上、六〇三頁)、一般に法律又は勅令の根據を要する。憲法上獨立命令の認められる場合ではないから、勅令を以て委任することを得るのは地方團體が國の特別監督に服する爲と解する他はない。

固有事務と委任事務との區別につき渡邊博士によれば、前者は地方團體民としての人類の福利を增進する爲の地方團體の事務であり、後者は國民としての人類の福利を增進する爲のものである。これ等の事務を如何なる方法を以て處理するかは各地方團體の固有の事情を標準として決定するが、如何なる種類の事務を行ふべきかは委任事務にあつては全然國家的見地に基づき國家的一般意思を以て決定さるべきものである(地方自治の本質に關する研究、法學論叢、第二三卷六號一一二頁以下)。すなはちこの區別は上述の如き地方團體に固有の自治權を認めざる學說でも認めるところである。Schulze は獨立の團體としての自治團體に特有の公の權利範圍と特に自治團體をして行使せしむる國家的支配權とを區別し(Schulze, Lehrbuch des deutschen Staatsrechts, Bd. I, 409)Lorenz von Stein も亦自治團體が國の機關として官廳の直接の指揮の下に國に對する責任を以て行ふ官治事務(amtlicher Wirkungskreis)と自治團體がその自治權によつて處理する自由事務(freier Wirkungskreis)とを區別する(Stein, Verwaltungslehre, I. Th. 1865 S. 439)。G. Jellinek によれば、地方團體の統治權は國家より傳來のものであるが、これを自己の權利として自己目的の實現の爲に行使する場合が自治であふ。固有事務にあつては地方團體が自己の權利を行使するに反して、委任事務に於ける地方團體は國家の機關である(Jellinek, a. a. O. S. 290ff.)。Rosin によれば、固有事務は自治團體がその生活目的を達する爲に處理するもので、委任事務は地方團體に對するとその機關に對するとを問はず常に國家事務を處理する形式に他ならない(Rosin, Souveränetät, Staat, Gemeinde, Selbstverwaltung, S. 47, 57.)。

以上の區別からなほ次の二點を注意しなければならぬ。

(1) 地方團體は屢〻法律の規定によりその固有事務を行ふにつき特權を付與される。例へば地方税を課し、過料を科し、行政上の强制徵收を爲しその他條例を制定するが如し。Laband が地方團體によるかかる國家的高權の行使の場合のみを自治と稱し財産の管理及び私法的行爲の締結の如きを自治の概念から除かんとするのは誤であるが(Vgl. Rosin, a. a. O. S. 47.)、又統治權の行使なるが故に當然に委任事務なりと解するのが誤なるはいふ迄もない。これ等の權能は地方團體自身の利益を實現する爲に認められる場合と國家に對する義務履行の爲に認められる場合とがあり(G. Jellinek, a. a. O. S. 290.)、固有事務なりや委任事務なりやは專らその目的の歸屬によつて決定されるのである。

(2) 地方團體の委任事務が一般に國の機關としての地方團體の行ふものとすれば、それは地方團體の機關に對する委任事務と類似する。例へば小學校令(六條一四條六〇條)では市町村立小學校の設立は市町村の委任事務であり、市町村は經費負擔者として小學校の敷地を買ひ校舍を建築するが、設立された小學校を管理することは市町村長に對する委任事務である(美濃部、公法判例大系下、一二二九條事件)。何れも單にその地方的公共の利益の爲にのみ處理する事務ではなく、その差異は前者の執行が固有事務の場合と同じく地方團體の議決機關の議決を要し、後者の執行には地方團體が關與する權能なきことにある。佐々木博士は委任事務と雖も法上その自治體の事務として行ふものなれば、これが爲にその自治體が國家又は他の自治體の機關となるに非ずと論ぜられるが、それは自治體の機關に委任されたる事務と實施の手續を異にすることを意味するのであつて、委任事務が本來國家又は他の自治體の存立目的に屬することを否認されるのではない（佐々木、前掲七一四頁七一五頁）。公立小學校のみならず一般に公費官營事業は、その物的施設を爲すことが地方團體の委任事務であつて、その管理及び事業の本體は地方團體の機關に對する委任事務たるが普通である（美濃部、日本行政法、上、六〇六頁六一〇頁）。

四

地方團體につき固有事務と委任事務とを區別することは、單にその權能の由來する根據の異るを明かにするのみならず、これを處理する手段及びこれに對する監督につき重要なる意義がある。蓋し固有事務については府縣制・市制・町村制の如き地方團體の基礎法が直接に適用されるのに反して、委任事務については一般に特別の法令の規定があり且つその國家事務たる性質上特別の法理が認められるから、基礎法はその限度で補充的に適用されるに過ぎないからである。

先づ條例の制定につき獨逸市町村制第三條はそれが固有事務に限るものと定め、我が國でも同樣の學說がある(市制町村制正義、二二〇頁等)。けれども國民學校授業料・河川負擔金の賦課(國民學校令三六條河川法三七條)の如く委任事務に關して條例が定められる場合もある。故に磯崎教授が、自主權が國家より市町村に付與された權能なることとそれが如何なる地方團體の事務の範圍に於いて付與されてゐるかといふことは、別問題なりとされることは正當であるが、委任事務も一旦市町村に委託された以上は固有事務と同じく市町村の事務に他ならずとして、兩者が一樣に條例を以て規定し得べきことを認められるのは贊成が出來ない(磯崎、市町村條例、規則について、立命館三十五周年記念論文集 法經篇五六頁)。委任事務は國の法令に從つて執行するを要し、地方團體自身の自由なる判斷に任されてゐる餘地は極めて狹いから、委任事務につき條例を設くる必要は殆んど起らないのである(美濃部、前揭、五八三頁)。固有事務に關する法規は法律の委任による命令又は警察命令の他は命令を以て規定するを得ないが(美濃部、前揭、五八四頁)、委任事務については勅令の他、その委任による命令を以ても規定し得べきはいふまでもない。殊に委任事務に關して、手數料・使用料・負擔金等を徵收することは、この點に關する特別の規定なき限り地方團體の權能に屬せず、從つて條例を以て規定するを得ない。事務の委任と手數料徵收の授權とが別個のものたることは、明治三二年勅令第二一九號道府縣手數料令に徵するも明かであらう。府縣制第九九條第一〇〇條、市制第一一三條第一二九條の如き規定がただ府縣又は市町村自身の營造物又は事務にのみ適用されることは(美濃部、前揭、五九〇頁)

固有事務の特色である。

固有事務と委任事務の區別はこれに對する國家の監督權の性質に決定的意義をもつ。地方團體と雖も一般的私人と同樣に國の一般統治權に服し、從つて民事監督・警察監督を受けるものであり、更に特許企業の經營についてはその企業に對する特別監督に服する。けれどもこれ等の他に固有事務に對しては府縣制市制又は町村制による監督が認められるに反して、委任事務は上述の如く國（他の公共團體の場合は略す）の利益の爲に行ふものであり、これに對して機關監督が及ぶことは國の機關としての市町村長の場合と同樣である。W. Jellinek によれば自治事務（Selbstverwaltungsangelegenheiten）は地方團體が法律の限界内に於いて自由裁量により國の訓令に煩はされず自己の責任に於いて處理する事務であり、委任事務（Auftragsangelegenheiten）は國家が特定の地方團體又はその機關に對して國の訓令に從つて處理すべく委任せる事務である（W. Jellinek, VerwR., 3Aufl. S. 531.）。Hatschek は Staatsverwaltung durch Selbstverwaltung と berufsamtliche Staatsverwaltung とを區別し、前者については地方團體が憲法上保障された權利ある他、一般の公共團體に對する國家監督に服し且つ法律によつてのみ限界が決定されるのに反して、後者は職務監督（Dienstaufsicht）に服し訓令によつてその範圍が左右されるものと解する（Hatschek, Lehrbuch des deutschen u. preussischen Verw R., 1927. S. 66.）。Gierke によれば、國は地方團體の固有事務を後見すべき（Bevormundung）でなく、單に監督すべきであり（blosse Aufsicht）、それは越權行爲の防止、國家に對する義務履行の强制、訴願の裁決の如く國家自身の利益の爲に缺くべからざる限度に止むべく、地方團體のすべての重要なる議決及び執行の效力を認可にかからしめ、その他地方團體の內部的關係に立入つて監督すべきではない(Gierke, Genossenschaftsrecht, I. S. 763.)。Preuss は機關の從屬性（Subordination）と獨立なる主體に對する監督（Aufsicht）とを區別する。行政作用の主要部分は公益實現の爲にする自由なる活動、公益性の裁量にあり、その統一を保つ爲には訓令を發して下級廳の意思決定を內容につき指揮する必要がある。けれどもこの職務的從屬關係は同一團體の機關相互の間に成立するのみで、地方團體の機關は國家の指揮に服するを要しない(Preuss, Das städtische Amtsrecht in Preussen, S. 296, 300, 302, 303.)。更に Triepel は機關監督（unmittelbare Beaufsichtigung, Dienstaufsicht）と國家監督（Oberaufsicht, Verbandsaufsicht）とを區別し、前者は直接に事務を執行することとは異るが指揮を伴ふから、若し國家が自治團體に對して機關を行使するならば、國家が自ら自治事務を行ふことと殆んど異らないと主張する(Triepel, Reichsaufsicht, S. 153, 154.)。これ等を要するに、委任事務の監督が恰も下級官廳に對する如く、訓令により且つ公益性の裁量にも及ぶことを得るに反して、固有事務の監督は、府縣制市制の如き法律規定に基づき且つ原則として適法性の監督に止まるのである。

次に我が法制に於ける固有事務の監督の規定を一瞥しよう。

（1）議決又は選擧の取消が違法なる場合に限ることは明文の規定がある（市制第九〇條三項）。代議決は強制豫算を除けば常に市町村長の申請ある場合に限り、それは地方團體の同意の下に行はれる公益性の監督に他ならず、殊に昭和四年の改正により市制第九〇條ノ二は所謂原案執行權を制限して、市町村の公益に關する認定を市町村自體に一任する自治の本旨を明かにした（織田、日本行政法原理、二三二頁）。强制豫算は必要支出すなはち市町村が直接法令により負擔する費用又は法令に基づき行政官廳が市町村に對して支出を命じた費用の場合に限るから（織田、前掲二三三頁渡邊、日本行政法上、五二七頁五二八頁）適法性の監督に他ならない。

（2）市制第一六一條二項は監督官廳が市の監督上必要なる命令を發し又は處分を爲すことを得る旨を規定する。けれどもそれは一般的な指揮命令權を認めるものでなく、又單に公益上不適當なる行爲の取消には及ばず、更に監督官廳の代執行權を認むるものでもない。渡邊博士は代執行を含むものとされるやうであるが（渡邊、日本行政法上、五二六頁）、それは市制第一六三條が規定する。本條の濫用は自治權の侵害となるもので、條文の字句は必ずしも明瞭でないに拘はらず學說は一樣にこれを嚴格に制限する。すなはち本條による取消權又は指揮權が認められるのは、市町村長が市町村會の議決を經ず、その議決に反し又はその議決を執行せざるが如き場合であり（織田、前掲二二九頁二三三頁）、美濃部博士によれば法律により既に定まれる義務の內容を指定しその履行を命ずる所謂義務宣言の他は、違法の行爲を取消し得るに止まる（美濃部、前掲六二四頁乃至六二六頁）。なほ議決機關の議決の取消の如く特別の規定ある場合が市制第一六一條によるべきでないことは、本條の取消處分に對して行政訴訟の提起が許されざることに徵して明かである（美濃部、公法判例大系、上、三二〇號事件）。

（3）　市制第一六二條等による內務大臣の地方議會解散權には法律上格別の制限がないやうであるが、比例原則によって覊束されると思ふ。同第一六三條二項の代執行についても第一六一條につき述べたると同樣に嚴格に解しなければならぬ。美濃部博士によれば、市町村機關が法律上爲さねばならぬ義務を負ふ事件につき故意にこれを爲すことを拒否し、且つ監督官廳の義務宣言によっては違法を矯正し得べからざる場合に限るのである（美濃部、日本行政法、上、六二七頁）。ただこれ等の點で多少の問題となるのは府縣知事による市町村吏員の懲戒權である（市制第一七一條等）。市町村長に對して懲戒を行ふ場合は格別であるが、下級の吏員に對する懲戒權は市町村長をして行はしむるのが立法論として至當と思ふ（市制町村制正義一三六二頁參照）。蓋し府縣知事は市町村の固有事務に關しては、市町村機關に訓令を發するを得ず、又その吏員に職務命令を發する權能なきに拘はらず、懲戒權があるのは矛盾するからである。

（4）　以上の如き矯正的監督權と異り豫防的監督權殊に認可權の留保は公益性の監督をも含むけれども、それは特定の重要な作用につき法律が規定を設けた場合に限るのはいふ迄もない。

（5）　すべて監督權の濫用は地方團體の自治權の侵害であり、從って地方議會の解散その他主務大臣の權限に屬する監督作用の如く性質上救濟の餘地なきものの他は、行政爭訟が認められる。監督權の限界の踰越に對しては地方團體の機關がこれを審査する權利と義務を有するのである（Vgl. Preuss, a. a. O. S. 309.）。

なほ監督に關して固有事務と委任事務の區別を不明瞭ならしめるのは、府縣制第八八條である。府縣知事の如く官吏が同時に地方團體の機關たる場合には、それが地方團體の固有事務を處理するときにも上級官廳の機關監督に服するから、その自治權は法律上當然に制限されその限度で委任事務との區別が明瞭を缺くに至る（美濃部、前掲六一四頁）。市制第一六四條により職務管掌の官吏も亦同條の臨時代理者と異り監督官廳の機關監督に服すべきはいふ迄もない。佐々木博士がこれを市町村の機關たるに非ずとされるのは（佐々木、前掲八〇三頁）この意味に解すべく、それが市町村の事務を行ふものたるは明かである。

最後に附言したいのは、一九三五年の獨逸新市町村制である。この法律はその前文に於いて、地方團體をして地方自治の創始者 Stein の眞精神に於いて國の目的の達成に協力せしめんとする旨を宣言する。けれども上述せる如く Stein 市制に於ける自治の觀念は地方團體の獨立を確保することとこれをして國家の鞏固なる基礎たらしめんとすることとの二傾向を綜合せるものであつたが、新市町村制では後の傾向を强調する結果遂に前者を無視した感がある。蓋しその第二條は固有事務と委任事務の區別を認め、地方團體に新たなる義務を課しその權利を侵害するには法律を要する旨を規定するけれども、市町村會（Gemeinderäte）が單なる諮問機關に過ぎず（§ 55）、市町村長（Bürgermeister）

は國家及び黨の信任によりその職に就くべく（§ 6）、監督は地方團體の行政を法律及び國の指導の目的に一致せしむる爲に行はれる（§ 106）。固より監督權の行使に當つては、市町村行政の決定力及び責任を害せざるべきことが要求されるが（§ 106）、これに違反する場合にも行政訴訟の提起を許さないから（§ 113）、自治權の保護は多く期待されない。Alfred Melzer が Lorenz von Stein の所謂自由なる行政の概念を以て國家と社會との對立を超克するものとして賞揚し、Stein 以後 Gierke, Schäffle, Gluth, Helfritz, v. Blume, Preuss より H. Peters に至る發展を、Stein のこの政治的方面の主張を看却して自治の形式的概念の方面のみを主張せるものとして排斥せるは、右の事實を裏書するものである（Melzer, Die Wandlung des Begriffsinhalts der deutschen kommunalen Selbstverwaltung, 1927, S. 66, 67.）。而してこのことは本稿に明かにした地方自治の本質を否認するものに外ならない。このことは別の機會に述べたから、ここでは省略する（私の、地方自治の問題、法律時報第八卷一〇號所載）。

地方制度改革の動向

一

我が國の地方制度は、市制町村制が明治二一年、更に府縣制及び郡制が明治二三年に制定されてから、昭和四年の改革に至るまでは、官治行政に對して自治行政を、又理事機關に對して議決機關を强化する傾向を示した(註一)。

郡制の廢止は、郡の經營事業が甚だ少かつた上に郡長による町村の監督を廢する必要があり、決して自治を制限するものではない。府縣は封建制の藩若くは國に比すべきものであり、版籍奉還及び廢藩置縣によつて封建制が覆滅した以上、府縣は行政區劃に止まるのが當然で、これに市町村の如き完全な自治を與へることは當初から反對があつた(註二)。從つて理事機關が官吏を以て構成されるいはば半受働的團體として存續した。けれども府縣會の選擧が明治三二年まで市會・市參事會・郡會及び郡參事會による間接選擧であつたのを直接人民によるものに改め、府縣參事會も名譽職參事會員及び知事の外に府縣高等官二人が加つてゐたのを大正一五年に削除し、昭和四年には議員三人以上より文書を以てする發案權を認め(五七條ノ二)、府縣條例による自治立法權を正式に承認した(三條ノ二)。

同樣の傾向は市町村では殊に著しい。大正一〇年までは市會が三級選擧、町村會は二級選擧であつたが、これを市會は二級選擧、町村會は普通選擧に改め、大正一五年には市會も普通選擧に改めた。市參事會は當初は合議制の理事機關であつたが、明治四四年に副議決機關に改め、昭和四年には參與がこれに參加することを削除した。これは一面に於いて理事機關の獨任制による强化を意味したと同時に、市會の機能を增大せしめたのはいふまでもない。殊に昭和四年の改正では、市町村會議員に發案權を認め、又議決機關の議決が公益に害ありと認められるとき及び收支に關して適當ならざるときに認められた原案執行權を制限して、理事機關に對する議決機關の地位を强化した(市制九〇條ノ二府縣制八二條ノ二)。

然るに昭和一八年に於ける地方制度の改革はこれと全く方向を異にし、議決機關に對して理事機關の地位を强化し、殊に市町村の自治行政に對して政府の監督權を重からしめ、その結果は市町村をして府縣の性格に近からしめるに至つた。東京都制も亦同樣の傾向をもつものといへる。

第一に議決機關につき、議員の定數を都議會一〇〇人、府縣會九〇人以下、市會八〇人以下に制限し、繰上當選者を以て補充するもなほ闕員が六分の一以上に達するときに非ざれば補充選擧又は補闕選擧を行はず、更に市町村會の權限を從來の例示的列擧から制限的列擧に改め、決定權についても議員の被選擧權の有無に關する府縣會及び市町村會の決定權を除き、全般的に議決機關から奪つた。その結果府縣參事會が國の機關として市町村を監督する地位は消滅し、市會は府縣會と同じく通常會の他は限られた會期の臨時會を以て足ることになる。府縣會及び市會の議決權が參事會に委讓されて、例へば前者の閉會中に於ける參事會の權限は幾分增大したが、固より自治權の擴大と認むべきではない。第二に理事機關について、市長は勅裁を經て內務大臣が選任し、町村長の選擧には知事の認可を要し、更に著しく在職を不適當とするときは監督官廳が市町村長を解職し得ることになつた。これが懲戒權による場合と異るは明かである。助役に關する市町村會の選擧權は奪はれて監督官廳の認可により市町村長がこれを選任し、收入役も亦市町村會の同意を得て市町村長が選任するものと改められ市町村會の同意は收入役が市町村長に對してもつ地位の獨立を保障するに他ならない。かくて理事機關の人事は議決機關の手を離れて監督官廳の監督に服し、公吏ではあるがその性格は官吏に接近するに至つた。殊に東京都に於いては、市制第六條の市の他に府の性格をもつとはいへ、理事機關たる都長官及び次長・局長・書記官、從つて區長もすべて官吏である。都制の實施は帝都の占める重要な地位及び典型的な二重行政の弊を除く必要にもよるが、この他に從來の東京市に於いて市政の中心が市會にあつたのを官吏たる理事機關に移すことも主たる理由であつた(註三)。

(註一) 昭和四年の改正につき、挾間茂、地方制度改正大意、參照。

（註二）　明治二一年一二月一〇日法制局員の爲に井上毅が演説した要旨も、その一例である（伊藤博文、法制關係資料、下、三八八頁以下）。

（註三）　古井喜實、東京都制について、（國家學會雜誌五七卷九號二一頁以下）。

二

以上の改革に關して第一の問題は、地方團體の理事機關に充てるのに官吏を以てするか公吏を以てするかである。

先づ官吏による場合にも、地方團體の固有事務が既存の法律の範圍内で（praeter legem）當然に處理されることは變りがないが、官吏の府縣又は都行政に關する職務關係は、原則として國の行政に關する職務關係と同樣なる旨の規定がある（府縣制八八條、都制一〇二條）。この法理は職務官掌の官吏の如く、市町村行政に關する職務關係についても同樣に考へられる。この點で古井氏は通説に反し、東京都官制が都長官及びその補助機關の組織及び職務權限の基本法たるを理由として、かかる官吏に自治體の事務を負擔せしむることについても官制に於いて許容されることを必要と解し、從って都の機關としての都長官の權限は都官制（二條）に「法律命令ヲ執行シ」とある爲で、都制に規定なき場合には官制の一般規定によるべきものとされる（註一）。

けれども官吏が地方團體の機關たるについては、官制の規定のみでは不充分である。蓋し官制は政府部內の組織及び政治の分擔（一般的權限）を規定するに止まり、政府と他の權利主體從つて地方團體の關係は法律の規定を要するからである。例へば都官制（一〇條）に長官官房の分掌事務として都議會・都參事會その他都の行政一般に關する事項を規定するが、これが爲に都制を俟たず都の行政につき權限あるものと解すべからざることは、恰も內務省官制（一條）に內務大臣が出版の事務を管理する旨を定めるに拘はらず、出版の取締につき出版法その他の法律を要するのと同樣である（註二）。官制の規定はその權限が旣に政府の事務に屬することを前提とするもので、政府と地方團體の關係は一般に法律の根據なくしては政府の權限たり得ない。ただ注意すべきは、都の理事機關に官吏を以て充つることが法律の規定を要するに止まり、それが何れの官廳なりやは必ずしも法律を要せざること、及び都制の如く特定の官廳を法律が指定する場合にも、かくて政府部內の權限となつた理事機關の職務に關しては官制の規定及び行政機構より生ずる機關監督・職務監督に服することとである。古井氏が官制を以て都制の一般法の如く論ぜられる——少くとも都長官につき——のは贊成出來ないが、都制による都長官の職務に關しても都制に別段の規定（都制九五條・一〇四條・一三九條・一五二條等）なき限り都官制が適用されるのはいふまでもない。

次に公吏は法令の定むるところにより國又は他の地方團體の事務を掌るもので（都制一〇三條・一

五五條、市制九三條等)、その根據は地方團體の組織法にあるのはもちろんであるが、委任する法規は命令從つて又官制を以て足りる。その結果、委任事務に關しては國又は他の地方團體との間に於ける法治行政の原則が適用されず、公吏は恰も官吏の如く政府の機構に編入されて機關監督を受けるのである。ここに注意すべきは、第一に地方團體の委任事務の處理についても同樣の法理が認められることである。地方團體に對しても命令を以て事務を委任するを得べく、その結果政府の下級官廳と同樣の地位に立つことが考へられる。ただこの場合にも地方議會の議決に關してはその性質上權限の獨立が認められるが、それは合議制の官廳についても認められるところに過ぎない。第二に公吏が政府の機關として機關監督に服するのは委任事務を處理する限度に止まり、公吏の包括的倫理的勤務義務は專ら當該地方團體に對して負ふもので、その選任權のみならず懲戒權も亦地方團體に屬し、監督官廳がもつ懲戒權は公法上の代理であり公吏の地方團體に對する義務違反を理由とするもので、政府の官吏に對する懲戒權とは性質を異にする。

從つて公選の都長に從來の東京府知事に認められた警察命令權・任官大權の委任、或は下級官廳の監督權・經濟統制の權能の如きを付與することが疑問とされたのであり、これが都長官選の一の論據となつた(註三)。恰も統制會に對する職權委讓がその限度で統制會を下級官廳の如く機關監督に服せしめたのに拘はらず、なほ充分に徹底せざるのと同樣である。更に改正市制町村制が理事機關の選任及び解職につき監督官廳の權限を强化したに拘はらず、これを公吏に止めたことは大なる意味をもつ。かかる市町村長が委任事務を處理する場合にも官吏と異るのはいふまでもない。

以上の點で我が法制を獨逸と比較しよう。獨逸の市町村制では、黨委員が市町村參議に諮つて推薦した者につき監督官廳の認可を得て、當該市町村が市町村長及び助役を選任する(註四)。從つてその就任後一年間は政府がこの選任を取消すを得べく(註五)、又政府は市町村の行政が法律の他に國家指導の目的にも一致するやうに監督を加へる拘はらず、市町村の自治は從來よりも一層徹底し、市町村制が國家の基本法として尊重されるのであつて(註六)、若し官吏を以て市町村を統轄せしむるならば、獨逸の法制は根本の精神を主張し得ざることとならう。

(註一) 古井喜實、前掲、國家學會雜誌五七卷一〇號一〇〇頁以下。

(註二) 私の、行政法概論、四一頁。

(註三) 古井喜實、前掲、一〇七頁。

(註四) 黨委員は祕密會議にて市町村參議に諮り候補者三人以下を推薦する。主務官廳が推薦された候補者の一人につき就任を同意するときは、市町村に於いてこれを市町村長又は助役に選任する。然らざるときは他の候補者を推薦すべく、主務官廳は再度同意せざるときは直接選任すべき候補者を指名する(四一條)。

(註五) 市町村長及び助役の就任に同意した主務官廳は、就任後一年間は選任を取消すことが出來る(四五條)。

（註六） 獨逸市町村制ハ國家ノ基本法トス、之ニ由リテ備ヘラレタル地盤ノ上ニ國家ノ新建設ハ成就セラルヘシ（市町村制前文）。

地方制度の改革に於ける第二の問題は、議決機關に對する理事機關の强化であつて、いひ換へれば指導者原理に關するものである。議決機關の地位が抑壓される所以は、第一にその性質上權限の獨立があるからこれに對して强力な監督若くは指導をなすことが出來ず、第二に選擧及び多數決が必然的に妥協による多數者（Kompromissmehrheiten）の政治を生ぜしめ、鄕土的協同體の本質から遊離する虞がある（註一）からである。

この傾向は獨逸に於いて特に著しい。從來の議決機關たる市町村會は廢止され、市町村長の諮問機關として市町村參議（Gemeinderäte）が設置される。參議は黨委員が市町村長に諮つて選任する。その員數も制限され、適格を失ふときは監督官廳がその失格を決定する。市町村長は市町村の重要なる事件につき參議に諮問することを要するが、法理上は參議の意見に拘束されず、又參議は名譽職を擔任する者としてその職務の履行につき市町村長により宣誓せしめられる（註二）。

これに反して獨逸法に於ける市町村長は完全にして絕對なる責任を負ふ。すなはち法律及び國家指導の目的の下に政治的及び行政的責任を負ふ他、市町村行政に關して宣誓による懲戒責任・民刑事責任を負ひ、しかも參議への諮問によりこれを免れることが出來ない（註三）。選任については上述したが、住民一萬以上の町村及び市にあつては專務職たるを要し、その任期は十二年で、この期間は更新され或は終身に及ぶこともある(註四)。

けれども以上の特色は市町村に於いて官治的獨裁政治を意味するものではない。

第一に市町村參議は、表決權なき諮問機關の故に輕視されることは出來ない。寧ろ反對に獨逸の市町村は從來の如き抽象的形式的な地域團體たるに止まらず、鄕土により結合された民族の狹き協同體であり、從つて市町村行政と公民の鞏固なる結合を保障する參議は特に重要な制度である。參議の選任に當つては、國民的信賴・適性及び名聲に注意し、市町村に特別な長所若くは意味を加へ又は市町村の生活に重要な影響ある專門の人物を考ふべく、參議は會議に出席の義務があり、その責任に於いて意見を述べ且つ市町村長の處置を人民に理解せしめなければならぬ。諮問機關たることは市町村長の指導者的性格より要請されるけれども、市町村の境界變更・條例の制定・租稅の賦課等の重要事件につき參議に諮問することは、市町村長の重大な責任に屬するものと解される(註五)。なほ參議の他に基本條例によつて參與(Beiräte)を置くことが出來るが、參與は專ら特定の行政部門に衆智を蒐める爲に止まり、その會議も公開しない。

以上の傾向は權力分立の機構或は自治權の本質に觸れる。理事機關も議決機關(若くは諮問機關)も共に同一の世界觀に立ち、同一の民族協同體の基礎の上に國家の指導に服するとき、眞の協同體を形成し或は國家指導の手段となる自治が可能となるが、國家と民族若くは地方團體の二元的對立を前提とするときは、實定法の上で自治權乃至は機關の權限の侵犯に對する保障を要し、從來の機構が支持される。ただ後の場合には殊にワイマール憲法の時代に於いて決定的な市町村會中心政治により黨派の抗爭・責任の分散を示したことは周知の事實であり、それは我が法制でも同樣であつた。要するに地方團體の自治は共通の世界觀的地盤を前提とする限り改革の方向が是認されるのに反して、この前提を缺き專ら實定法の力によつて制度を保障せんとするときは昭和四年以前の動向を承認せざるを得ないのである。

（註一） Fritz Voigt, Selbstverwaltung, S. 47.

（註二） 獨逸市町村制四八條以下。參議の數は基本條例（Hauptsatzung）を以て定めるが、住民一萬未滿の町村では一二人、その他の町村では二四人、市では三六人を超えることが出來ない（四九條）。

（註三） 第三二條、なほ Dennewitz, Das Gemeindebeamtenrecht, S. 405 (Verw Arch. Bd. 40)

（註四） 第三九條、第四〇條、第四四條。この他、市長及び市の第一助役は司法官又は高等行政官の資格を要する（四〇條）。

（註五） 第四八條以下。 Vgl. Erste Ausführungsanweisung zu § 32 DGO. 參議なくしては獨逸の市町村制は存在しないと論ずるのも過言でない（Vgl. Surén Loschelder, Deutsche Gemeindeordnung, S. 191）。

三

地方團體の自治に關しては夙にロジーンが指摘せる如く(註一)、公民自治(bürgerliche Selbstverwaltung)と團體自治(körperliche Selbstverwaltung)の區別がある。前者は政治的概念で、官吏によらず人民自らその利害關係ある公共事務を處理し又はこれに參與することであり、後者は法律的概念で、公共團體が國の監督の下に自己の事務として公の行政を處理することである。而して從來の法律實證主義は國が定立する實定法に考察の範圍を限定し、自治についても政治的概念は法律的意味なく、自治の本質を地方團體の法人格及び自治權が實定法によつて承認されることに求める。このことは第一に、地方團體の法人格が實定法の付與せるものであり、從つて國家は實定法の改正により地方團體を消滅せしむることが可能であること(註二)、第二に地方團體が自己の責任を以て處理する固有事務は、地方團體の一般成立の目的中にその法的根據あることで、この目的以外に特別の委任に基づく委任事務と一應區別されるが、固有事務も亦實定法により地方團體に許容されるもので、委任事務との差異はいはゞ實定法の委任が一般的なりや個別的なりやの相對的意味あるに過ぎざること、更に第三には、固有事務と委任事務の區別を右の他に政府のこれに對する監督の性質に求めることは獨逸の通說であるけれども、實定法に規定なき限り當然にはその理由なきことを意味する(註三)。かかる自治に對して最近の地方制度の改革が如何なる意味をもつかを論じなければならぬ。

先づ地方團體の法人格は當然にその目的たる事務の處理を意味するが、この種の事務はすべて政府より委託されたもので、この委託は單に合目的的な理由によるに止まるから、政府は何時でもこれを奪ふことが出來るとするのが、從來の通説である。固よりフランス革命の政治原理或はゲルマンの組合的協同體に見られる自然法的基礎づけは、その後の佛獨に於いて否定され、地方團體の基本權として自治を保障する憲法規定(註四)は遂に實質的には無内容と解されるに至つた。アンシュッツによれば、自治が法律の範圍内に於いて認めらるべきことから、地方團體が實定法に基づかざる國の干渉に對して不作爲請求權をもつのに過ぎない(註五)。

この問題は地方制度の改革に於いて未だ直接表はれてゐない。けれども固有事務を委任事務から區別することに對する疑惑は、右の見解を理由づけるものであり、又舊滿州國の地方制度はこの點に直接觸れるものであつた。

地方團體の作用が固有事務と委任事務の何れに屬するかは、必ずしも明瞭でない。殊に臺灣の廳の如く、法令によりこれに屬せしめられた事務を處理するに止まる場合には、固有事務と委任事務の區別は認められない(註六)。けれども本來の地域的協同體たる普通地方團體に關しては、地方的公共事務及びこれを達成する爲の前提たる組織事務・財政事務が所謂固有事務と考へられる。組織及び財政は嚴密にいへば地方團體の存立目的ではないが、その缺くべからざる前提であり、例へば官廳が市長を選任するのは監督權に基づく代理である。ただ地方團體は國家と本質的に結合するから、これ等の事務はその基礎法が詳細に規定するのを常とし、これを固有事務と稱する實益に乏しい。宮澤教授が本來の公共事務のみを固有事務と斷定されるのは(註七)、この意味で首肯される。なほ公共事務(市制二條等)と委任事務の區別は教授の指摘される如く事務の實質によるもので(註八)、軌道の如く法律により特許を要する事業と雖も委任事務ではなく、反對に公費官營事業が委任事務なる所以は、主として地方人民がこれより利益を受けるが、その經營方針の如何が國家全般の利害に影響する實質をもつからである。從つて固有事務と委任事務の限界が不明瞭なる故に、地方團體の基本權が立法權を制約するを得ざるものと論ずるのは、充分なる理由ありとは思はれない。

然らば我が法制に於いて、將來地方團體の自治を否認することが可能であるか。私は別の機會に述べたやうに(註九)、地方自治の制度的保障を我が憲法の中に認めることが出來ると思ふ。それは第一に現行法が地方團體に認める條例制定權・課稅權・科罰權の如きは何れも憲法第五條・第六二條・第二三條等の原則に反し、かかる包括的な權能は法律による委任の法理を以て說明するを得ないから、それが違憲ならざる爲には憲法上の特別なる根據を要する。市制町村制は憲法實施前の法律であるが、憲法に矛盾するときは失效する筈であるから、それは先づ憲法上の慣習法により基礎づけられなければばならぬ。この意味で憲法に明文なきに拘はらず、現行地方制度は憲法の暗默に承認する例外であつて、將來法律の改正により容易に消滅せしむるを得ないものである。第二に實質的には明治二一年の市制町村制上諭及び理由に明かなる如く、この制度が地域的協同體を鞏固ならしめ、これにより臣民の翼賛を可能ならしむるもので、萬機公論に決する維新の大綱に通ずるからである。憲法の承認する自治權は憲治改正の法律に非ざれば奪ふことを得ずとする單純なる法理論(註一〇)でなく、又國家内に獨立不可侵の團體を認めんとするものでもない。この點で獨逸の自治が國家指導の手段とされるに拘はらず、他方に於いて國の法規が自治を創造しその形式を決定するものでなく、實定法はただ地方團體に内在する諸種の力を發揮せしめ乃至は刺戟指導しその障害を阻止するに止まると論ぜられることに注意しなければならぬ(註一一)。蓋し指導は常に民族の具體的な協同體を前提とし、地方團體についてもその協同體としての内的生命が先行する。ここに國家と民族の二元的對立に於いて、從來の國家が實定法により人民を支配する場合との相違がある。自治の法形式は國政を擔當する勢力と自治を擔當する勢力が對立するとき、或は自治體の協同體としての力が衰へて官僚的勢力がこれに代はるとき顯著となり、自治の基盤としての協同體が全體としての具體的な國家の形成に努力するときは必ずしも重視されない。我が國に於いて政府と地方團體が二元的對立なく、從つて法律により自治を否定することが不可能なるは、同樣に考へられる。

（註一） Rosin, Souveränetät, Staat, Gemeinde, Selbstverwaltung, S. 308 ff.
（註二） Hatschek, VerwR., 7/8 Aufl. S. 70, 71; Meyer=Anschütz, Deutsches VerwR. 7 Aufl. S. 406; Elleringmann, Begriff u Wesen der körperschaftlichen Selbstverwaltung, S. 16 ff.
（註三） 宮澤俊義、固有事務と委任事務の理論、一〇七頁、一二一頁。
（註四） 獨逸共和國憲法第一二七條、プロイセン憲法第七〇條等。
（註五） Anschütz, Reichsverfassung, Anm. zu Art. 127.
（註六） 入江氏はかかる事務の中に固有事務と委任事務を含むものと解せられるが（自治政策、一一八頁）、この事務は地方團體の存立目的であるとしても既に intra legem の事務なる以上、praeter legem の場合ではなく、從つて固有事務に特有な問題の餘地はない。
（註七） 宮澤・前掲一〇九頁以下。
（註八） 宮澤・前掲一一五頁以下。
（註九） 行政法概論、三〇頁。
（註一〇） Vogels, Preussische Verfassung, Anm. II zu Art. 70.
（註一一） Voigt, a. a. O. S. 229.

固有事務と委任事務の區別、いひ換へれば自治權の內容は、最近の改革に於いて特に影響を受けてゐる。蓋し地方團體が存在する限りその一般成立の目的たる固有事務が認められることはいふまでもないが、地方議會の權能が縮小され且つ理事機關の任免につき監督が强化された結果、恰も委任事務に對する如く固有事務に對しても政府の機關監督が及ぶかの疑を生ずるからである。

實定法上法人としての自治の外的表現形式と協同體としてのその內的核心が一應區別さるべきことは上述したが、このことは同時に自治の法律的概念と政治的概念が密接に關聯することを意味する。蓋し地方團體が政治的意義の自治なきときは、固有事務についても政府の機關監督に服するから、獨立なる法人格の承認は、自己の名義にて財產を所有し法律關係の當事者たり、その會計が特別會計の如く議會の協贊を要せざることを示すに過ぎない。元來固有事務は地方團體の基礎法の定むる目的の範圍內で既存の法規に違反（contra legem）せざる限り、法規の直接の根據なく（praeter legem）為し得ることで、個別的な法規に基づく（intra legem）委任事務から區別されるが、固有事務の處理が機關監督に服するときは最早地方團體自身の責任を以てするのではなく、從つて本來の自治に屬せざることは委任事務の場合と同樣である。

從つて固有事務の本質を專ら權能の根據に求めて、その受ける國家監督の特色を看過することは贊成出來ない。王政復古の佛國に於いて、又前世紀後半以後の獨逸に於いて、委任事務と固有事務の區別が、地方團體が國の執行機關としてその機關監督に服するや一般的な國家監督に服するやにあると論ぜられたのは、問題の核心を衝くものである。宮澤教授は六大都市行政監督に關する法律（大正一一年法律一號）に於いて固有事務の監督と委任事務の監督を區別せざることを指摘されるが（註一）、それはただ二重監督を除くにつき共通の必要あるを意味するに過ぎない。

上述の如く獨逸市町村制は、最近の我が法制の動向と類似するところ多く、殊に自治の創始者フライヘル・フォン・シュタインの精神により民族協同體の形成を企圖することは（註二）、我が法制と軌を一にする。その市町村は民族の地域的協同體の中に躍動する諸種の力を結集して、狹き範圍の郷土に於ける公共事務を處理することを目的とする（一條）。固有事務すなはち自治若くは公共事務は市町村が自己の責任を以て處理するが、その作用は法律及び國家指導の目的に一致することを要する（一條二條）に反して、委任事務は法律を以て委任したる國家事務であり、訓令に從つて處理すべきものである（二條）。これによれば固有事務は國家が地方團體に付與し又はこれに放任する任意の事務たるに止まらず、地方團體の構成員が各自その義務として意識する事務であり（註三）、自治は固有事務の處理により國家の爲に地方團體の最高最善の力を發揮することである。從つて新しき地域團體は一定の地域よりも公民權に重點が移り、公民の名譽職擔任の義務（五條）、住民一萬人に滿たざる町村の町村長及び助役を名譽職とすべき規定（三九條）はこれを示す（註四）。又過度の國家監督すなはち後見的監督は自治を破壞するもので、ここに指導による監督の本質が見出される。

獨逸市町村制の自治監督（Kommunalaufsicht, Gemeindeaufsicht）は、その内容及び形式に於いて機關監督と異る(註五)。第一にそれは市町村行政が法律及び國家指導の目的に一致することを保障する目的をもつ(一條一〇六條)。從つて法治行政の原則は獨逸の政治及び經濟に關する不文律を加へて擴大されるが、決して官治行政に於ける機關監督を意味しない。蓋し國家指導の目的に一致すべきことは國庫の利益に一致することと異るのみならず、市町村行政が當然に國家指導の範圍に屬するとすれば無用且つ不徹定な規定となるからである(註六)。自治監督が市町村の權利を保護し、その決斷力及び强き責任感を增進せしむべきことは、明文の規定がある(八條一〇六條)。第二に監督の手段は監視權の他は取消權及び代執行權に止まり、かかる矯正的監督が目的を達せざる場合及び限度に於いて政府の任命する委員が强制管理を行ふに過ぎない(一〇八條乃至一一二條)。從つて新法の下でも固有事務に如何なる事業が屬するかは市町村に留保されるもので、フリードリヒスはこれを權限の權限(Kompetenz-Kompetenz)と稱してゐる(註七)。シュタインがその市制案の劈頭に於いて、信賴は人を高貴ならしめ、永遠の後見はその圓熟を阻むと述べた(註八)のは現在なほ支持される。

これに反して委任事務については、機關監督に服し、市町村長の地位は間接的な官吏であり、ただ政府の訓令は上述の自治監督の手段により强制するを得ざるのみ(一一四條)(註九)。從つて自治制による分權(décentralisation)と官治制による分權(déconcentration)の區別(註一〇)は從來の學說に於けると殆んど變りがない。例へばゲオルグ・エリネックが主働的身分に關して、個人はただその地位の承認と許容につき參政權あるに反して、地方團體には統治權の行使に對する請求權ありとしたことは、宮澤教授が反對される（註一）。けれどもそれは教授が積極的身分の他に主（能）働的身分を認めざる爲であつて（註二）、エリネックの説くところも亦獨立事務については地方團體がその權利を行使し、委任事務については國家の機關であるとするもので、通說が監督の差異に區別を求めるのと結局同一に歸する。

我が法制に於いても自治監督と機關監督の區別は、同樣に考へられる。この點は別の機會に述べたから（註三）、本稿では省略するが、市制第一六一條・第一六三條の如き規定が明文の字句に制限なきことを理由として公益性の監督を含むものとすれば、地方自治は殆んど空文と化するであらう。自治監督と政府部內の機關監督が異るのは明かであつて、問題は主として委任事務が同じく自治監督を受くるに止まるか否かにある。蓋し委任事務が地方議會の議決によつて處理されるときは、權限の獨立により監督官廳と雖も訓令を發し得ざるからであるが、今回の改正により市町村の委任事務と雖も必ずしも市町村會の議決を要せず、この反駁は當らない。

（註一）宮澤・前揭一二一頁。

（註二）獨逸市町村制ハ黨及國家ト密接ニ協同シテ市町村ノ最高能率ヲ發揮セシメ之ニ依リ市町村ヲシテ市町村自治ノ創始者ふらいへる・ふおん・しゆたいんノ眞ノ精神ニ於テ國家目的ノ達成ニ協力スルヲ得シメントス

（獨逸市町村制前文）。

（註三） Voigt, a. a. O., S. 244.

（註四） Vgl. Dennewitz, a. a. O. S. 409.

（註五） Friedrichs, Kommunal= und Staatsangelegenheiten, S. 370 (Verw Arch. Bd. 40)

（註六） Friedrichs, a. a. O. S. 361.

（註七） Friedrichs, a. a. O. S. 364 ff.

（註八） Vgl. Preuss, Die Entwicklung des deutschen Städtewesens, Bd. I. I. S. 235 ff.

（註九） Dennewitz, a. a. O. S. 408.

（註一〇） Köttgen, Deutsche Verwaltung, S. 77; Friedrichs, a. a. O. S. 359.

（註一一） G. Jellinek, System der subjektiven öffentlichen Rechte, S. 287 ff. これに關して、宮澤、前掲五三頁。

（註一二） 宮澤俊義・憲法略説、四〇頁。

（註一三） 別稿、地方自治の本質、一一七頁以下。

四

以上を要約すれば次の三點になる。

第一に地方制度に關する近年の動向は、政府と人民或は地方團體が共通の世界觀を前提し、地方團體をして最もよく國家目的の達成に協力せしめんとするにある。理事機關の選任につき、議決機關の權限の委譲につき、或は都長の官選につき、政府の指導が强化されたのはこれが爲である。けれども政治的にいへば、このことは地方團體をして充分にその機能を發揮せしむる爲で、單純に官治組織に吸收する爲であつてはならない。

第二にこの動向を法律的に見れば、地方團體の praeter legem なる事務とその執行が尊重されなければならぬ。これが爲には地方團體の法人格が承認される他、少くとも理事機關が公吏であり又は公民を代表する議決機關乃至は諮問機關が備はらなければならぬ。

第三にかかる地方制度は國家と本質的な關係をもち、しかも實定法により奪ふべからざる保障(institutionelle Garantie)を認めなければならぬ。これに反して法律實證主義は共通の世界觀或は協同體を前提せず專ら實定法によつて自治の機構を保障せんとするものであるから、指導の目的による監督は自治を相對的なものとすると考へられ、寧ろ嚴密な權力分立が要請されると同時に、實定法の改正によれば地方制度の本質を奪ふことも可能となるのである。

(一橋論叢第一三卷三號・昭和十九年)

立法事項について

一

帝國憲法が法律を以てのみ規定すべきものとする事項を立法事項又は法律事項といひ、憲法上獨裁大權を以て規定し得べき事項を大權事項といふのが通常である。これに對してその何れにも屬せざる事項は自由立法事項又は法律命令の共同範圍の事項となる。けれども我が國の政治をかくの如く三の場合に分けることは、必ずしも正當ではない。

右の事項の中で比較的に意義の明瞭なのは立法事項であつて、それが憲法上議會の協賛を經たる法律の規定を要することは、殆んど疑を容れないやうに見える。これに反して大權事項に關して、それが法律の規定を許さざるものと解することは必ずしも明瞭でない。蓋し我が憲法第六條乃至第十六條の規定は二三の例外を除き、命令の留保事項なる旨の字句なく、從つて條文の字句の上では、獨裁大權によることは出來るがこれによることを要するものと論定する根據に乏しい。命令の文字は第八條及び第九條にあるが、前者は緊急命令であつて、その性質上立法事項に關する命令である。又後者は命令の通則の規定のやうに考へられるが、所謂大權事項說は第九條を大權事項の規定とは區別して自由立法事項に屬するものとするから、結局大權事項の規定には命令の留保が明示されないことになる。又憲法義解第十六條の註によれば、「抑〻元首ノ大權ハ憲法ノ正條ヲ以テ之ヲ制限スルノ外及バザル所ナキコト宛モ太陽ノ光線ノ遮蔽ノ外ニ映射セザル所ナキガ如シ、此レ固ヨリ逐節敍列スルヲ待チテ始メテ存立スル者ニ非ズ、而シテ憲法ニ揭グル所ハ既ニ其ノ大綱ヲ擧ケ、又其ノ節目中ノ要領ナル者ヲ羅列シテ以テ標準ヲ示スニ過ギザルノミ」とあり、大權事項が例示的列擧に過ぎざることを示してゐる。

我が憲法の制定に當つて、大權事項を規定すべきや否やは議論のあつたところで、井上毅の甲案試草では大權の規定を上諭の中に讓り、乙案試草ではこれを條章の中で規定してゐる。これにつき井上毅は前者の主義を勝るものとし、英國その他立憲諸國に於いて大權を列擧することは、この他の立法權・司法權等の權能を國王より分離して掌握せしめざる意味を示すものであると非難した。すなはち、バイエルン・ウュルテンベルヒ・ザクセン等の憲法は我が憲法第四條の如き規定を揭げ、佛國の王政及び帝政憲法、ベルギー・プロイセンの憲法等はこれを揭げずして大權を個別的に列記してゐるが、前者は積極的な記載法であつて廣汎な意義を示し、後者は消極的な記載法であつて限局の意義を示すものであり、我が欽定憲法の本質及び歷史、殊にそれが三權分立主義をとらざることから、前者の主義によるべきものとするのである。モスセも亦井上と同様の意見で、從來の國法により疑もなく國王に歸する爲特に規定するを要せざる權利を憲法に列擧するときは、却つて憲法により始めてこれを認許するが如き誤解を生ずるもので、プロイセン憲法が大權を列擧せることを非難し、更に議院についてはこれと反對に、その權利は推測を以て判定するを得ず、必ず君主の制定せる憲法が付與したものに限ることを明記すべしと論じてゐる。然るにロエスレルは立法權行使の原則に對して議會の協贊を要せざる場合は例外であるから特に規定すべく、又行政權も屢々協贊を要する場合があるからその他の場合にも規定する要あるべく、更に憲法上の大權事項に關する經費の支出は議會の自由なる廢除削減より保護すべきものとして、大權事項の規定を存置すべきことを主張してゐる(伊藤博文、憲法資料上卷三一〇頁以下)。我が憲法が大權事項を規定することは、ロエスレルの意見が參酌されたやうに見えるが、第四條に南獨逸型の原則規定を掲げたること、及び上述の憲法義解の説明に徴すれば、大權事項の規定が制限的列擧として嚴格に解すべき根據はないものと考へる。

次に憲法第九條が大權事項及び立法事項の何れにも屬せざる自由立法事項の原則的規定とする根據は、甚だ疑はしい。固より同條及び第十條が但書に於いて法律を以ても規定し得べきことを認めるから、その意味で自由立法事項に屬するものとすることは當然であるが、立法事項及び大權事項を憲法上個別的に列擧された場合に限定し、その他の場合は原則として第九條の適用ありとする學説は、到底贊成することが出來ない。第九條は執行命令の部分を除いては外國の憲法に比較すべきものなく、それがロエスレルの君權を强大ならしむる意見に關係あることは、想像するに難くない。尤も乙案試草（七條）に於いて、「法律ヲ執行スル爲ニ又ハ國ノ治安ヲ保ツ爲ニ必要アル規則及處分ハ天皇ノ勅令ヲ以テ之ヲ發シ又ハ之ヲ發セシム」とあり、一八一四年の佛國憲法（一四條）の les réglements et ordonnances nécessaires pour l'exécution des lois et la sûreté de l'Etat と酷似するが、ロエスレルはこの外に、國內の善政を覃敷し以て國家の昌榮を進むるに必要なる其他の勅令に至つても亦苟も法律に背馳するに非ず又立法府の權限に屬するものに非ずと認め得べき限りは之を發するの權を有せざるべからずとして、御諮詢案に於ける「臣民ノ幸福ヲ增進スル」の字句を挿入する動機を與へたのである（稻田正次、國家學會雜誌五六卷一一號五七卷二號）。

この過程に徵しても、憲法第九條が第五條に於ける法律の一般留保に對する例外的規定の地位をもち、しかも重點は公共の安寧秩序を保持する爲の警察命令にあることは明かである。憲法義解に徵するに、臣民の幸福を增進する爲の行政命令は、必ずしも法律の一般留保に屬する法規命令を意味せず、寧ろ所謂法治國主義が國家の活動を內務行政の領域に於いては消極的な警察作用に限定せんとするのに對して、敎育乃至農商業等に關しても政府がこれを助長し保護することあるべきを示すにあつたものと考へられる。從つて夙に一木博士が指摘し（日本法令豫算論）多くの學者が認めるやうに、同條は少くとも內務行政に限られ、自由立法事項の全般に關する原則的性質を有せず、この意味で他の大權事項より區別する本質的な理由はない。大權事項の中でも上述の如く第十條の規定は自由立法事項に關するものと解せられ、これと第九條の區別は殊に疑はしい。

二

佐々木博士及び宮澤敎授は憲法第九條の規定を、第五條による立法權行使の原則に對する例外規定と解される。すなはち佐々木博士は憲法第五條の立法を以て、憲法第三十七條に於ける法律の制定を意味せず、普通の概念としての法を制定する作用とされ、社會生活に於ける人類相互の活動の限界を定むるところの行爲の規範にして社會の强要するものは、議會の協贊を以て制定されることを原則とすると解される(佐々木、日本憲法要論五頁五六六頁)。宮澤敎授も亦一般に行政ならびに司法作用は豫め定立された抽象的な意味をもつ法規範にもとづいて行はれるのを原則とし、憲法第五條はかかる法規範が議會の協贊をもつて定立されることを意味するとされる(宮澤、憲法略説二五一頁)。かかる學說では法律の留保すなはち立法事項は、オットー・マイヤーの學說の如く一般留保(Rechtssatzvorbehalt)と特別留保(Sondervorbehalte)に區別され、後者すなはち憲法が個別的に列記する立法事項は、議會の協贊による法律にあらざれば規定することが出來ないが、憲法第五條が前提する法規に關する留保は、原則として法律の規定を要するも第九條の命令を以て規定し得べきものとなる。
けれども法律の特別留保すなはち憲法上の立法事項が、絶對に命令を以て規定し得ざるものとする解釋は贊成出來ない。この點で立法事項の中で特に問題となる憲法第二章の規定が第九條の警察命令を以ても制限し得ることを説明しよう。臣民の權利義務に關する立法事項の規定は、筆者の如き見解に於いては一見不要の規定の如き觀があるのに反して、その他の立法事項の規定は第五條の法規留保の他に特別なる存在理由をもつからである(拙著、法の本質と憲法、八一頁)。

我が憲法第二章の規定は、その根本精神に於いて我が欽定憲法の固有の理念によるのはいふまでもないが、表現形式に於いては一八五〇年のプロイセン憲法、從つて又一八三一年のベルギー憲法と比較することが出來る。然るにベルギー憲法第二章の規定は疑もなく例示的列擧であつた。蓋しそこでは第二十五條に於いて Tous les pouvoirs émanent de la nation と定め、すべて統治權が國民從つて又議會の協贊を俟つことが推定されるのみならず、反面に於いて第七十八條は Le roi n'a d'autres pouvoirs que ceux que lui attribuent formellement la Constitution et les lois particulières portées en vertu de la Constitution même. と定め、國王の獨裁大權は例外であり嚴格に解すべきことが示されるからである。ベルギーは一八三〇年國民の革命により和蘭より獨立しその君主は新に國民がザクセン・コブルヒから迎へたもので、憲法の國王に關する規定は創設的規定と解すべきものである。かかる民主主義的原理が、プロイセン及び我が國に於いて根本的に修正を蒙むるのはいふまでもない。ただプロイセンに於いて例外的規定たるべきものがベルギーにて例示的規定なりし爲に、これを嚴格に解して、明文なき限り自由立法事項なりとするとき、規定の不備に直面して困難な問題を生ずる。例へば私法規定・地方自治制・營業法に於けるが如し。

次にプロイセン憲法(一八五〇年)にあつては、ベルギー憲法第二十五條及び第七十八條の如き規定なく、又その反對の規定もないが、ブランデンブルヒの邊境伯以來の傳統をもち、プロイセン王國としても一七〇一年よりの强大なる君主を推戴する歷史は、憲治の制定によつて容易に一變するものではない。一八五〇年の憲法こそ自由主義的な議會の傾向により多くの點でベルギー憲法を模倣したけれども、その君主主義の基調は牢固として動かず、憲法上の大權事項は制限的・例外的なものでなく、寧ろ立法事項の規定以外の領域は原則として獨裁大權を以て規定し得るものと論ぜられた。就中グナイスト、ボルンハック、アルント等の學說にこれを見る。我が憲法がこの點でプロイセン憲法よりも一層ベルギー憲法と異ることは明かであらう。我が憲法第四條は一八一八年バイエルン憲法(二章一條一項)に於ける如く君主が統治權を總攬し給ふ原則を掲げてゐるから、獨裁大權が廣き推定を受け、立法事項を嚴格に解すべきことは殆んど自明の理のやうである。

けれども以上の解釋は君主と議會或は國民の對立を前提とする。英國及び佛國の君主政を見るに、立憲制度は制限君主政の一種であつて、君主の無制約なる大權が屢々國民の利益と背馳した爲に、國民が自己を防衞する手段として憲法上の保障を要求したのである。プロイセンに於いてすら、一八四八年の欽定假憲法が議會にて修正された過程を見れば、同様の傾向をもつものといへる。從つてベルギーとプロイセンは原則を異にするに拘はらず、この點では共通性をもち、立法事項の規定は歷史上特に獨裁大權によつて脅かされた國民の利益を具體的に保障するにあり、抽象的な原理或は體系を成文化したものではない。然るに我が憲法ではかかる對立は毫も認められず、第二章の規定は憲法義解に從へば、「上に在ては愛重の意を致し、待つに邦國の寶を以てし、下に在ては大君に服從し、自ら視て以て幸福の臣民とす、是れ我が國の典故舊俗に存する者にして、本章に揭ぐる所の臣民の權利義務亦此の義に源流するに外ならず、……本章の載する所は實に中興の美果を培殖し、之を永久に保明する者」である。帝國議會は統治に翼賛する機關であり、法律も勅令も齊しく天皇の制定し給ふところである。それは程度の差であつて、外國に於ける如き質的な差はない。法律の制定に當り議會の協賛が成立要件なるに拘はらず、立法を君民共同のこととする思想が強く排斥されたことも、この點に於いて重大な意味をもつ。

從つて立法事項を嚴格に制限する積極的理由なく、第二章に明示されざる事項についても憲法第五條により臣民の翼賛を以てする立法手續を原則とするのが欽定憲法の精神である。明治元年の五箇條の御誓文に「廣ク會議ヲ起シ萬機公論ニ決スヘシ」と宣示し給ひしところもこれである。上述の如く大權事項を嚴格に解すべからざると同樣に、立法事項も亦制限的列擧と解すべきではない。更に憲法第九條の規定する廣汎なる副立法は第二章の立法事項に關しても發動することが出來る。例へば罰則の制定につき、住居の侵入につき、或は所有權の侵害について從來の政治が認めてゐる通りである。佛國の如き共和政の下でも憲法上の慣習法として警察上の獨立命令が認められてゐたが、君主或は政府と議會の對立を認める諸國では獨立命令を以て憲法上の立法事項を規定することは峻拒され、就中南獨逸法では警察罰につき個別的に法律の規定を要する主義が固執されたことは注意されるが、プロイセンでは警察上の獨立命令に關して我が憲法第九條の如き規定なきに拘はらず、これを以て罰則を定め得べきものとしてゐる。固より警察罰命令に關しては我が國の明治二三年法律第八四號又はプロイセンの一八五〇年の Gesetz über die Polizeiverwaltung の如き法律があり、かかる命令を法律の委任によるものと解するときは、憲法第九條が立法事項の規定に適用なきものとする解釋を可能ならしめるが、これ等の法律は委任命令の根據たり得ず、命令に對して罰則制定權を付與するものであり、從つて警察命令には憲法上の根據を要するのである。

要するにこの問題については、憲法規定の意義を個別的に文字解釋により決定するを得ず、我が憲法の根柢をなす指導理念によつて把握しなければならぬ。上述の如く立法事項を嚴格に解せざるときは、一方に於いて立法事項が擴張されると共に、他方に於いて警察上の獨立命令權が立法事項にも及ぶことになる。

三

和歌山高商の大石教授は最近の公法雜誌（九卷四號五號）に於いて、卑見に反對の見解を表明された。その要旨は、我が憲法上法律なる字句は常に憲法第三十七條の意義に用ゐられ、卑見の如く立法事項の法律を實質的意義に解する理由なきこと、及び卑見が憲法上の立法事項及び大權事項を嚴格に解せざる結果、規定の存在理由を不明瞭ならしむることにある。この後の點は上述したから、前の點すなはち我が憲法上法律が必ずしも議會の協贊を經たる形式的意義の法規に限られざるや否やを一言しよう。なほ卑見の詳細は大石教授から批判をいただいた拙著、法の本質と憲法（七九頁乃至八三頁）の他、拙著、法律による行政、を參照されたい。

第一に憲法第五十七條第一項の法律を形式的意義の法律と解する説は、これを司法手續に關する法律と考へ、換言すれば刑事訴訟法・民事訴訟法等を指すものとするのである。本條の制定に關しては樞密院でも格別の論議なかりしやうであり、外國の立法例にもこれと一致するものはないが、本條の要旨は政府に對する司法權の獨立を保障するにあり、手續法が法律によるべきことは——卑見ではこのことは既に憲法第二十三條及び第二十四條から論定することが出來るが——その一面に過ぎず、その重點は政府の訓令・職務命令の如き法規に非ざる機關意思に服せざることにある。固より司法權なる字句よりして、それが法規を具體的事件に適用することを任務とするのは明かであるが、本條の趣旨はこれに止まらず、プロイセン憲法（八六條）に Die richterliche Gewalt wird im Namen des Königs durch unabhängige, keiner anderen Autorität als der des Gesetzes unterworfene Gerichte ausgeübt とあるのとほぼ同意義であつて、法律によりとあるのは、法規すなはち實質的意義の法律の權威による外は、政府の指揮に服せざることを意味するのである。

第二に大石教授が憲法第五十二條の法律が官吏服務紀律等を含まざることを指摘されたのは正當であつて、拙著に文官懲戒令を掲げたのは訂正を要する。官吏たる議員につき本條の保障が當然には認められざることは、憲法第二章の自由が必ずしも保障されざることと同樣である。かかる保障は一般統治關係にある者を直接の對象とし、特別權力關係に服する者はその限度で區別される。ただ本條の法律が一般に議會の協贊を經たる法律なることは、言論出版等の自由の取締が治安警察法・出版法・言論集會等臨時取締法の如き法律の先占區域に屬する爲であつて、第五十二條が立法事項なることの當然の結果ではない。

第三に憲法第六十七條の義務費であるが、ここに「法律上政府ノ義務ニ屬スル歲出」とある意義は憲法の制定に當つて樞密院で最も論爭のあつたところである。樞密院に於ける御諮詢の原案では「帝國議會ノ議決ニ由リ生ジタル政府ノ義務ノ履行ニ必要ナル歲出」とあり、議會の議決による以上政府の裁量による歲出に非ざるは明かで、かかる義務がその後の議會による廢除削減によつて履行し得ざるに至ることは不合理だからである。本條に於ける協賛義務はロエスレルが主として力說したところであつて、南獨逸の法制に近いものである。就中法律費・義務費は行政の遂行に絕對に必要であり、議會の協賛なき爲支出の不能に陷ることは極力防止するを要するが――憲法上この保障なきことから重大なる支障を生すべきことは、一八六二年より一八六六年に至るプロイセンの憲法爭議が立證してゐる――反對に舊ザクセン憲法の如く一般に歲出豫算につき協賛を要せざるものとすれば、立憲政體に於ける議會の權能を極端に制限することになる。我が憲法は本條に於いてこの中間を採つたのである。ロエスレルの私案が憲法上の大權に基づく歲出につき、それが既定費に非ざる場合にも當然に協賛義務ありとしたのに對して、井上毅等が反對し、御諮詢案では法律費・義務費についても既定の歲出のみ協賛義務ありとしたのはこの間の事情を物語るものである。從つて憲法第六十二條第三項により豫算外國庫負擔契約を爲すの件として協賛ありたる經費は、翌年度以降は法律上政府の義務に屬する歲出であるのはいふまでもない。佐々木博士によれば、義務費は國家が法上の原因により有する具體的の支拂義務を履行するが爲に支出するものをいひ、法上の原因とは契約その他の法上の行爲たることもあり、法の規定たることもあり、又私法上のものなると公法上のものなるとを問はず、法律の形式を有すると否とを問はないのである(日本憲法要論六四八頁)。

これに反して大石教授と卑見とは次の點で一致する。第一は憲法第十條を第九條と同樣に法律命令の共同範圍と解されることである。但し教授は第十條が大權事項たることを原則とし、ただ法律を以ても規定し得る旨を定める結果、同條の法律と命令の效力の關係は一般に法律と命令の效力の關係の原則——第九條但書——に依るべきものとされるが、法律命令の共同範圍なることと狹義の大權事項とは兩立しない。第二は立法事項說と異り、上述の如き法律の一般留保を認められることである。但し立法事項說すなはち個別的な立法事項の規定についてのみ法律の留保を認める學說にあつても、我が憲法の施行以前の法令に第七十六條に基づき法律たる場合ありとして、例へば商法・市制・町村制明治二三年法律第八四號につき法律の先占區域を認め、その限度で——廢止については格別——變更するには新なる法律を要するものとするから立法事項の缺陷が補充されるのであり、更に憲法の實施以後は立法事項以外の領域にも法律の制定が次第に多きを加へた現在では、憲法上の論爭は格別の實益なきやうに見える。

けれども特定事項を命令に委任することと包括的なる命令制定權の授與を區別し、前者は通常の法律又は命令により下級の命令に對して爲すを得べきも、後者は立法權の行使に關する憲法上の原則に直接影響するものであるから憲法上の根據なくしては不可能なることに注意するときは、以上の學說の相違は今日なほ重大な意味を失はない。例へば明治二三年法律第八四號では「命令ノ條項ニ違犯スル者ハ各其ノ命令ニ規定スル所ニ從ヒ二百圓以内ノ罰金若ハ一年以下ノ禁錮ニ處ス」とあり、これに基づく同年勅令第二〇八號では「内閣總理大臣及各省大臣ハ……其ノ發スル所ノ閣令又ハ省令ニ百圓以内ノ罰金若ハ科料又ハ三月以下の懲役禁錮若ハ拘留ノ罰則ヲ附スルコトヲ得」（第二條省略）とある。ここで處罰の要件たる法令違犯の具體的內容は全く不明であり、命令違犯に罰則を附するや否やも個々の命令に一任されるから、それは罰則制定權を一定の限界內で行政官廳に付與せるものに他ならず、直接人民に適用さるべき法規ではない。然るに憲法第二十三條は直接人民を處罰する法規が法律によるべきことを定めてゐるから、これを一定の限界內にせよ立法事項に非ずとする上述の法令は憲法違反の疑を生ずる。換言すれば憲法第九條によつて警察上必要なる限り獨立命令を以ても罰則を定め得べきものとせざる限り、憲法違反を免れず、これを委任命令の法理によつて說明することは出來ない。又國家總動員法第八條は「政府ハ戰時ニ際シ國家總動員上必要アルトキハ勅令ノ定ムル所ニ依リ物資ノ生產・修理・配給・讓渡其ノ他ノ處分・使用・消費・所持及移轉ニ關シ必要ナル命令ヲ爲スコトヲ得」と定め、前例と同じく勅令の規定を可能ならしめるのみで、人民の義務內容は具體的には何等決定されず、これに基づく物資統制令に於いても、例へば第二條に「主務大臣ハ統制物資ノ生産若ハ修理ヲ業トスル者又ハ此等ノ者ノ團體ニ對シ統制物資ノ生産若ハ修理ニ關シ必要ナル事項を命ジ又ハ制限若ハ禁止ヲ爲スコトヲ得」とあるけれども、統制物資の範圍は省令に一任され、かかる物資に對する統制下命の內容も主務大臣の裁量に一任されてゐる典型的な白紙法規（Blankettrechts-satz）である。ただ下級の命令制定權を授與する範圍が國家總動員法に比して、物資統制令ではやや限定されるに止まり、憲法第二十七條第二項で豫期する法律又はその委任命令ではない。この場合は憲法第三十一條に根據を求むべきものと考へるが、それは別の機會に述べたところに讓る（一九七頁一九八頁參照）。

固より特定事項の委任と包括的なる命令制定權の授與の區別は程度の差の如く見えるけれども、元來下級の法令に對する委任は憲法上明文の根據なく、條理上一定の限度で容認されるに止まり、委任の適法なる限界は嚴格に論じなければならぬ。若し包括的なる授權を無制限に可能なりとすれば、憲法上の立法權行使の原則は自由に變更されることにならう。これは卑見よりも一層强い理由で、立法事項說が反對するところでなければならぬ。立法事項乃至は大權事項を嚴格に解釋する學說が、委任を廣く認めることはその本來の立場を拋棄するものである。

（法學新報第五三卷一一號・昭和十八年）

警察法の歴史的習俗的性格

一

一九二六年ミュンスターに於けるドイツ公法學會の席上で、公法に於ける法律的思惟の危機が叫ばれ（Veröffentlichungen der Vereinigung der deutschen Staatsrechtslehrer Heft III, S. 55ff.）、ここで新精神科學的方法（die neue geisteswissenschaftliche Methode）への轉向が强調されたことは注目すべきことである（Holstein, Arch. öffR, NF. 11. S. 31）。それはゲルバー及びラーバンドが確立して以來約五十年間ドイツ公法學を支配した實證主義的傾向を克服する爲の努力を意味する。實證主義による所謂法律學的方法（juristische Methode）は既に一九二一年エリヒ・カウフマンによつて批判せられ、そこでは新カント學派の思惟が一面的に偏し（Eindimentionalität）且つ形而上學を缺くことが指摘された（Erich Kaufmann, Kritik der neukantischen Rechtsphilosophie）。けれどもミュンスター以後は實證主義の衰退が決定的なものとなつたのである。

法律學に於ける實證主義（Positivismus）につきシュヴィンゲはロータッカー（Rothacker, Logik und Systematik der Geisteswissenschaften, S. 21ff）に從つて二の意味を區別する（Erich Schwinge, Der Methodenstreit in der heutigen Rechtswissenschaft, S. 12ff.）。第1は

原理の問題（Prinzipienfrage）としての實證主義であつて、例へばケルゼンがすべての法現象中で形式的要素すなはち規範或は當爲の領域のみが本質的なものとし存在の世界を問題の外におくことがマールブルヒ學派の世界觀によるのはこれである（Kelsen, Hauptprobleme der Staatsrechtslehre, Vorrede, 1 Aufl., S. VIII; 2 Aufl. S. XVII.）。第二は概念構成の問題（Begriffsbildungsproblem）としての實證主義であつて、專ら實定法規のみを材料として概念を構成する方法である。それは又ラーバンドの學派がすべて概念構成を解して、一般化的性質をもち換言すれば、一般概念を得ることを目的とするものといふのと（Laband, Staatsrecht des Deutschen Reichs, Vorwort zur 2 Aufl.）同一に歸し、論理及び數學に於ける概念構成の方法を法律學に移植せんとするものである（Vgl, Heller, Arch öffR. NF. 16. S. 343 ff.）。

右の如き實證主義は法に獨自の存在・價値を否定して、これを國家が定立し若くは承認する規範と考へ、しかも國家の統治權は法律學の外に存する社會學的實力なりとしてその存在及び活動を問題の外におかんとするものである。それは第一に國家が法に據り且つ法の爲に存するものとする自然法に反對する（Vgl, Gierke, Johannes Althusius, S. 264）。前世紀の初頭に歷史法學派は自然法と實定法の區別を止揚して、法と國家は相共に發達し、相互に規定され拘束されるものと考へたが、その哲學的基礎は薄弱であつて、次第に概念構成の範圍を實定法に限局する實證主義におき替へられるに至つた。第二に實定法がこれを定立する實力によつて決定的な影響を受けることはいふまでもない。固より法以外の實力によつて左右されることは、法の規範性を危うくするもので、ここにエリネックの所謂國家の自律的制限(G. Jellinek, Die rechtliche Natur der Staatenverträge, S. 7, 18, 19)の理論構成が必要となり、更にケルゼンに至つては根本規範の要件たる法規定立の權威が常に一般に服從を豫定されるものたるべしとするに止まる(Kelsen, Die philosophischen Grundlagen der Naturrechtslehre und des Rechtspositivismus, S. 65)。けれども法律學上の相對主義はこれによつて世界觀の對立乃至は自然法の問題に觸れることを拒否せんとして、遂に實定法を定立する實力からも絶緣するの已むなきに至り、かくて法內容を捨象した形式的な無內容の法律學に化するのである。

從つて法律學に於ける實證主義は相對主義であり、それは又不可知論(Agnostizismus)とも稱することが出來る。そしてこれに反對する爲には窮極に於いて世界觀の對立に觸れざるを得ず、しかも世界觀的價値判斷は認識の問題でなく信仰の問題であるから、特定の時代及び國家といふ具體的地盤を離れて抽象的論理を以て解決せんと試みるときは、多種多樣なる世界觀に眩惑されて結論を見失ふこととなる。

けれども精神科學、從つて又法律學に於ける概念構成は主としてリッケルトの所謂個別化的(idiographisch)方法によるべく、一般概念は補助概念として用ゐられるに止まり、個別的概念を得ることを第一の目的としなければならぬ。すなはち法律學研究の窮極の目的は、實定法規をその歷史的所與の特殊態(geschichtlich gegebene Besonderheit)に於いて客觀的な把握(gegenständliche

Erfassung) を試みることにある。それは法規の目的すなはち法規に意味及び内容を與へるものを、意識的に概念構成の出發點におくことによつてのみ可能であり、形式論理的でなく目的論的 (teleologisch) 方法によつて初めてなし得るのである(Schwinge, a. a. O, S. 15, 16)。ただ法規の目的はその字句及び制定の沿革等より決定し得ざること多く、結局それはトリーペルのいふやうに超實定的生活秩序 (überpositive Lebensordnung) の中の思想に關聯するものであり(Veröffentlichungen der Vereinigung der deutschen Staatsrechtslehrer, Heft III, S. 51)、換言すれば特定法秩序の前提する——或はこれに客觀化された——特定の世界觀的價値判斷と本質的に不可分の關係をもつのである。

以上の如き目的論的方法は特に憲法の基本權の規定について多く論ぜられる。例へばトリーペル、トマ、スメントの如し。エリヒ・カウフマン(Veröffentlichungen der Vereinigung der deutschen Staatsrechtslehrer, Heft IV, S. 77ff)が法律的概念構成に關して制度的方法 (institutionelle Methode)、すなはち具體的な法律制度に實現されていはばその肉となれる倫理的内容にまで遡ることを主張するのも亦同じ。ただ基本權の規定については別の機會に論じたから(私の、法律による行政、七七頁以下)、以下には警察法の概念構成につき、その歷史的習俗的性格が如何なる意味をもつかを示し、併せてこの點に關する實證主義の學說を批判して見よう。

二

先づ警察の目的が消極的な治安の目的に限定されるか否かは、我が實定法の規定では必ずしも明瞭でない。森林法(六章)に所謂森林警察、鑛業法(四章)に所謂鑛業警察が治安目的の作用なることは明かであるが、官制に於ける警察の觀念は行政警察規則第一條によつて解釋するのが普通である。この規定の性質については學説が分れるが、それが專制治下の制定にかかることから警察權の授權を含まざりしことは明かであり、又必ずしも福利行政を否定するものと解する理由なく、從つて私は警察權の獨立なる發動を留保する旨の注意規定と考へる。固よりその字句は § 10 II 17 ALR. 及び Code des délits et des peines art. 16 等に於けるプロイセン法・佛法の警察觀念を繼受せるものであり、これ等の母法が啓蒙的自然法思想に基づいて國家目的を限定する意味をもつたことはいふまでもないが、ALR. の規定及び loi du 5 avril 1884 (art. 97) 等の佛法はその後この意味を失つたから、明治八年に於ける我が行政警察規則が福利行政の爲の權力的作用を否定するものとは考へられない(反對、柳瀬、行政法の基礎理論第二卷二〇〇頁)。

けれどもこの規則は憲法の制定によつて意義を變じたのであり、それが憲法施行後も有效な法とされる爲には憲法第九條及び第二章の規定との調和が保たれなければならぬ。すなはち憲法第九條は警察命令の授權を規定するから、行政警察規則の規定は警察處分の範圍に減縮さるべく、又立法事項の規定により警察權の發動にも立憲的な法律の根據を要するから、包括的な警察權の留保は立法事項以外の場合なるか、或は憲法の規定に代はるべき獨立處分の授權に關する規定でなければならぬ。渡邊博士は行政警察規則が公共の安寧秩序を障害すべからざる人民の一般的義務を規定したものとすればここに立法事項の領域以外に於ける警察權の發動の一般的根據が與へられるとされるが（日本行政法下、一五、一六頁）、法律の留保は憲法上の立法事項に限られないから、立法事項の領域なりや否の區別は理由なきものと思ふ（私の、法律による行政、八七頁以下）。美濃部博士はこの規則を單に警察法令の解釋の標準を示すもので授權の規定とは解されないが（日本行政法下卷、二〇頁）、後述の如く立法事項について獨立の警察命令が認められることは、憲法の規定の字句が直接意味するところでなく、警察權の特別な性格が立憲主義を變更せしめたのであり、これと同樣に警察上の獨立處分の規定も認めることが出來る。固より後者は憲法の規定でないが、プロイセンに於いて一八五〇年の警察行政法（六條一五條）が獨立命令の授權を規定し、§10 II 17 ALR. が獨立處分を規定するものとする解釋（Rosin, Polizeiverordnungsrecht, S. 37ff.）に徴するも疑も容れない。獨立處分を否定すれば、官廳に非ざる警察官吏に屢〻認められる處分の包括的委任もすべて違法となるが、それが警察法の精神に非ざることは美濃部博士の示される通りである（公法判例大系下卷二八頁以下）。佐々木博士も亦行政警察規則が我が國の法的意識に於いて警察の任務と思考してゐるものを假り來つて、これを根本前提として警察機關の行動の標準を示したものとされるが（公法雜誌第二卷三號四一頁）、これによれば警察の任務は行政警察規則の規定を俟たざることになる。この他杉村敎授は行政警察規則（一條三條）が現行法上の警察觀念を定むる一の標準たるも必ずしもその全部に非ずとして、更に警察犯處罰令も亦警察作用の實質を推測せしむるものとされる（日本行政法講義要綱下卷二四七頁註）。けれども省令が法律勅令の用語について有權解釋を含むことはあり得ないから、警察の觀念はこれ等の規定で宣言されるに過ぎないことを意味する。

我が實定法に於ける警察目的が一應治安目的に限定されることとは、直接には警察權の獨立なる發動をこの目的に限定することを意味する。固より警察權の根據とその觀念は別個の問題であり、從つて法律の特別の授權による福利目的の爲の權力作用を警察の觀念に包攝せしむるや否は更に考察しなければならぬ。實定法を以て警察の名稱が附される作用は何れも治安目的と解して失當ではないがそれは暫く措き、市街地建築物法（一五條）が美觀地區を指定して建築を制限し、種牡牛檢査法が畜產改良の爲種付けの制限その他の權能を認め、輸出生絲檢査法が輸出生絲の聲價の維持增進の爲に輸出制限その他の取締を規定するが如きを警察の觀念に加へることが、柳瀨教授のいはれる如く國家作用の分類の一として通常の警察と同一法原則に支配される作用なる爲なりやは（前揭、二〇一頁）疑はしい。野村博士は治安目的の爲にする根元的意義に於ける警察の他に、福利目的の爲にする轉化的意義に於ける警察を揭げられるが（警察行政法、現代法學全集所收三頁以下）、その合理的根據は示されない。鵜飼教授も亦特別の授權ある限り警察の觀念を擴張し得るものとされ、その範圍は一般に行政學的考慮に俟つべく、現代國家の職能の範圍が擴大するに比例して廣義の警察觀念も擴大し警察國の形態に接近するとされるが（Polizei の觀念、美濃部教授還暦記念公法學の諸問題第一卷所載、四四頁四五頁）、行政學的考慮によつて法學上の概念構成を試みることは出來ない。警察の觀念を治安目的に限定することは我が國では織田博士（日本行政法原理二六〇頁以下）佐々木博士（日本行政法各論一一二頁以下）渡邊博士（前掲一頁以下）等であるが、獨逸及び佛國では一般に認められる（私の、法律による行政一五〇頁以下）。但し一九三一年のプロイセン警察行政法（一四條）が、警察廳が法律の特に委任せる職務を行ふ旨を規定し、又その以前でも權限裁判所が一八〇八年一二月二六日の命令（§3 der Verordnung über die verbesserte Einrichtung der Provinzial=Polizei=und Finanzbehörden）により警察廳の職務を福利警察に及ぶものとしたことは、注意を要する（Rosin, a. a. O. S. 21. 39ff）。オーリューは國の豫防的下命（règlement préventif）を廣義に於ける警察と稱し、軍政權・敎育の權利の如きすべて公共役務を組織する統治權をこれに包含せしめるが、それは下命及び强制の通則を說明する爲に過ぎず、公共の秩序の爲の行政警察（police administrative, ou de l'ordre public）を認めるのは通說に同じ（Hauriou, Précis élémentaire de droit administratif, 1938, pp. 317, 326; Berthélemy, Traité élémentaire de droit administratif, 1933, p. 266 et suiv）。

思ふに輸出生絲檢査等による取締は經濟統制の作用と解するを得べく、又警視廳官制（一二條）に所謂建築警察が市街の美觀の爲にする建築制限を含むのはいふまでもないが、形式的に警察官廳の權限に屬することが必ずしも實質的に警察作用たるを意味せず（美濃部、前掲八七九頁參照）、少くともこの建築制限が都市計畫として指定される場合は公用負擔に屬する。殊に美濃部博士が社會の文化又は經濟の健全性を保護することを直接の目的とする作用は普通の警察作用とは主眼とする所を異にし行政組織の上でも警察とは分離して發達せるものとして、文化目的及び經濟目的の爲にする統制作用を警察より區別されることは(前掲、二二頁)、福利警察の存在を稀薄ならしめる。私は福利目的の爲にする權力的作用には警察權の根據及び限界に關する法理の適用なく、公用負擔或は統制作用に屬するものならざるかと考へる。獨逸の法制に於ける警察の觀念が協同體の秩序の保障に求められることは(Maunz, Verwaltung, S. 236)、獨逸の法制と我が法制の相違を意識しつつ、なほ右の憶測を深からしめる。治安目的による警察作用の限定は當初の國家目的の限定より獨立なる警察權の限定に變じ、更に統制法の發展に伴つて警察觀念の限定にその意義を變じたものではあるまいか。柳瀬教授は實定法上の警察觀念が歷史的所産であつて、その背景並びに基礎たる國家制度の變つた現代では必ずしも支持すべき妥當の觀念とはいひ得ないとされるが(前掲、一一七五頁註二)、現代の實定法上の觀念も亦歷史的所産であるから變遷を免れず、警察權の根據と警察の觀念はかかる意味で互に關聯するに至る。

次に警察權の根據に關しては、憲法上の立法事項につき警察上の獨立命令を認むることが出來るか否、及び一般に慣習法殊に條理法を以て足りるか否が問題となる。後者は警察法に固有な問題ではないから省略するが、立憲主義に於いて制定法の支配が强調されるに拘はらず、警察法についてはその事宜と場所に應じて便宜の措置を必要とし殊に急迫の必要が屢〻豫想される爲に、積極的に解する說

（佐々木、日本行政法論各論一三二頁、渡邊、前掲一四頁以下）があるのを指摘したい。我が憲法第九條の警察命令が立法事項を制限し得るかについては、通説はこれを消極的に解し（一木、日本法令豫算論二七頁、清水、帝國憲法講義一三四頁）憲法第五條に法治主義の原則を認める佐々木博士も亦同じ（日本憲法論二二九頁）。憲法規定の字句は立法事項に於ける法律が形式的意義の法律たることを意味するけれども（憲法義解、第六四條註）、第九條の如き明文の規定なき獨逸及び佛國に於いても、ALR. の規定或は佛國憲法上の慣習法の如き不充分なる授權が容認されてゐる（私の、法律による行政、一五六頁以下）。それはゲオルグ・マイヤー（Gg. Meyer, Hirths Annalen 1878, S. 369f. insbes. 383）及びトマ（Thoma, Polizeibefehl S. 112, 113）が考へるやうな經過現象でなく、警察法の特殊な性質及び傳統的な君主の大權によつて實定法規の內容が變更されたことを意味する。詳細は別の機會に述べたところに讓るが（前掲、九九頁）、我が國に於いても積極的に解しなければならぬ。我が判例及び立法の實際も亦これを示し、例へば明治二三年法律第八四號の認むる範圍に於いて警察罰命令が發せられ、所有權の制限も亦獨立命令によることが出來る（民法二〇六條）。これ等の法律が委任命令を認めるに過ぎざるものとすることは（清水、前掲二二三頁二三七頁等）、法律による委任が法律の規定に於いて委任事項を豫見し得べきことに矛盾するもので、又直接には人民に對して何等の規定をも定めざる場合が獨立命令の留保たるは疑を容れない。

三

警察權の限界は條理法によるものとされるから、實定法が定める警察權の根據と異り、實證主義に從へば結局は法律學の領域から驅逐さるべきものである。例へば野村博士は法令の特に明示する場合の外は單なる便宜の原則に過ぎざるものとされ（警察行政法、現代法學全集所收、三一二頁註）、渡邊博士も亦警察權の發動につき自由裁量が認められる場合に、警察行政の目的に違反する方法に於いて人民の自由を拘束するとき、その限界の踰越は警察作用を不當ならしむるとされる（前掲八頁）。但しこの場合にも警察權の限界は國家行爲として行政客體を拘束する效果を生じ得る限界とされるから（同上一六頁）、その限度で幾分明瞭を缺いてゐる。これに反して通說は條理法による限界を認めるが、その根據は區々である。

先づ警察權の限界として、(1)それが法律又は警察命令の根據を要すること、(2)治安の目的の爲なること、(3)公共の秩序を害する行爲又は狀態を對象とすること、(4)その發動が必要の最小限度に止まるべきこと、(5)警察違反の行爲又は狀態が自己の生活範圍より出づる者に對することが擧げられる（美濃部、前掲七〇頁以下參照）。けれども警察權の限界はその發動そのものを可能ならしめることを前提とするとも考へられ（佐々木、警察法概論、新法學全集所收九四頁）、殊に警察權の根據は實定法に求められるから（渡邊、前掲一六頁參照）(1)は暫く措き、又警察目的は上述の如く少くとも實證主義の學說では我が實定法によるものと解されるから、(2)の原則も格別の問題とならない。警察公共の原則・警察比例の原則及び責任の原則については次の二の法理によつてその根據が說明される。

第一は警察目的より演繹するものである。例へば渡邊博士によれば警察官廳の權限として自由裁量が認められ、或は警察權發動の條件又は態樣が制定法により多義的に羈束される場合に警察行政の目的に違反することが、警察權の限界の踰越を意味する（前揭、一六頁以下）。佐々木博士は警察責任の原則を警察權の根據の問題と同樣にその限界の前提なりとして區別されるが、それは公共及び比例の原則と同じく警察の概念（目的或は性質）より當然に演繹されるものと解される（日本行政法論各論一二七頁一三四頁）。この中で警察公共の原則が警察の目的より演繹されることは一般に承認されるところである（美濃部、前揭七二頁、杉村、前揭二五三頁）。佐々木博士はこの場合を警察の合目的性に基づいて生ずる限界と稱する（警察法概論九五頁）。たゞ民事上の關係が私生活の自由の中に包含されることに反對され、それは社會秩序に對する障害であるが、現行制度の一般的建前が直接の被害者の意思に基づく民事裁判によつてのみこれを除去するにある結果警察の干渉なきに止まり、警察の性質から直接演繹される警察權の限界と異るものとされる（前揭一〇〇頁以下）。けれども私住所の自由についても、各人に對する障害は結局社會に對する障害となるが、一身上の安全はなるべく各人自ら保護する所に任ずるのを適當とするからであり（美濃部、前揭七三頁七四頁）、この點で民事上の關係を限界論から除外されるのは當らない。次に警察比例の原則が治安の目的に對する關係はただこれに必要なることにある。佐々木博士のいはれる如くそれは警察の手段の必要性に基づく限界であつて（前揭九七頁）、治安の目的の內容から直接に示されるのではなく、寧ろすべて國權を以て權利又は自由を制限する場合の通則の一適用に過ぎない（美濃部、前揭七五頁）。獨逸に於いて § 10 II 17 ALR. が治安の爲に「必要なる」手段と規定されることから、警察權の限界を演繹する（z. B Wolzendorff, ArchöffR. XXVII, S. 223 ff.）のも亦同じ。これに對しては警察急狀權（Polizeinotstandsrecht, polizeiliche Selbstverteidigung）の如く警察權の限界を超える行爲と雖も具體的場合に警察目的上必要なる行爲たり得るものとして、所謂必要性と限界の原則が異るとする反駁がある（柳瀨、前揭二三三頁）。それは警察急狀權も亦警察法規に基づくとして、一般に國家緊急權（ius eminens）が一層高き利益の爲に現存の法秩序を破り得るとする思想を否定する主張と關聯する（佐々木、前揭九〇頁）。固より警察急狀權が國法を超越する權力でなく、又それ自體必要の限度に止まるべきはいふまでもない。けれどもその適法なる所以は障害が目前に迫り普通の手段を以て除き得ざる場合の已むを得ざる應急手段たるが故で（美濃部、前揭一五一頁―一五三頁）、實定法に規定を缺く場合にも條理法によつて承認さるべきところであつて、これを以て警察比例の原則を否定するのは當らない。例へば警察官吏が武器を以て暴行者を殺傷することは常に障害を除くに必要なる程度を超ゆるもので、その警察急狀權として適法なる所以は訓令の規定（警察官吏武器使用規程）に求むるを得ず、右の如き條理法から理解しなければならない。

以上の如く警察權の限界を警察法の目的より演繹することは、佛法に所謂權力の簒奪（détournement de pouvoir）の法理に該當し、警察權の行使が客觀的に見て財政的利益又は私益の如き警察目的以外の目的を追及するものとして違法となる。佛法ではこの他に比例原則及び警察責任の原則を事實の錯誤（l'erreur de fait）からも説明するが、事實の錯誤は實定法の明文に牴觸する場合に準じて法律の侵犯（violation de la loi）の一種と考へてゐる（私の、法律による行政、二〇三頁以下）。警察責任の原則は屢々警察權の限界と區別されるのみならず、警察目的とも直接の關聯はない。けれども警察違反の事實が客觀的にその生活範圍に屬する者が責任者たるべきことは、警察作用の性質上自明の理であつて、實證主義の立場でも認められるから（佐々木、前掲八三頁）、事實の錯誤と同樣に考へられる。ただ法規に內在する目的は上述の如く實定法の規定の字句からは必ずしも明瞭でなく、從つて權力篡奪の法理も判例の發見せるところと解すべく、又事實の錯誤を法律の侵犯に加へることは佛法に於いても爭はれた。ここにオ・マイヤーの先天的一般的な臣民の義務（O. Mayer, Deutsches VerwR. 3 Aufl, I, S. 212）が想起せられ、限界理論の根據が超實定的な條理法に求められることになる（美濃部前掲七二頁、杉村、前掲二四八頁）。

第二に警察權の限界は、憲法第二章の認むる自由權の規定及びその前提たる憲法上論第三段に宣示せられたる法治主義から演繹することも出來る。蓋し立憲制度は臣民各個の自由及び財產の安全を貴重な權利として確保するが、この自由は秩序ある社會を前提とするもので、各個人の自由と國權の必要を調和することが立法事項に於ける法律なるが故である（憲法義解、第二二條註、Vgl. Fleiner, Institutionen S. 389）。これについて柳瀨教授は單に法律に據ることとすなはち侵害の形式に關する保障と、侵害の程度態樣が原則として處分の目的上必要なる限度に止まるべしとすることとすなはち侵害の內容に關する保障を混同するものと非難されるが（前揭、二、四八頁）、それは立法權に無制限の權能あることを承認するものであり、かくては基本權の規定に於ける法律の留保の意味を解することが出來ない。敎授は更に憲法第二八條の示す「安寧秩序ヲ妨ケス及臣民タルノ義務ニ背カサル」旨の條件が一般に立法事項に於ける法律の解釋の標準たるものとされるが（前揭、二、五一頁）、臣民たるの義務と警察權の關係は明かでなく、又右の解釋自體が基本權の規定の前提する世界觀的價値判斷によるものと解する他はない。

基本權の規定は臣民の自由及び財產を侵害する行爲を制限するもので、これに對する警察權は各人の治安維持に關する先天的義務を前提とする。從つてここに考へられる警察權の限界は同時に自由裁量の限界の通則たり得るものであり、しかもそれは憲法規定の字句によらず、學說及び判例によつて發展せしめられたところである。この點で柳瀨敎授の展開する實證主義の理論に言及しなければならない。先づ警察法に於ける如き義務を命じ又は權利を侵害する處分が公益上必要なる場合に限り且つ公益上必要なる限度に止まるを要する旨の條理法は、公益上必要なる場合に必ず處分をなすべく且つその處分が必ず公益上必要なる限度に及ぶべきことを意味せざる限り、裁野權の限界に止まり自由裁量たることを否定するものに非ずとされるが（柳瀨、行政法の基礎理論第一卷二一四頁）、處分の要件及び內容が實定法を以て一義的に限定される場合のみならず自由裁量の處分も亦實定法の規定に違反するとき違法たるはいふまでもないから（violation proprement dite）、問題は處分の要件・內容若くは處分を行ふべきや否やについて規定を缺き或は不特定概念を以て指定されるときに條理法に違反し違法たる場合ありや否やであり、それが裁量の限界の踰越なりや或は法による覊束の違反なりやは相對的に區別されるのみで、行政法學では格別の意味をもたない。次に權利毀損の有無を以て裁量處分と覊束處分を區別することは、教授の指摘されるやうに（前揭一八〇頁二一一頁）必ずしも理由がない。覊束裁量を誤まることは當然に違法であるが、行政訴訟の提起について權利侵害を要件とする制度の下では、自由權の侵害なる理論を構成せざれば法的救濟が與へられないのに反して、佛法の越權行爲取消の訴訟の如く權利侵害を要件とせざるときは、覊束裁量の違反或は裁量の限界踰越と權利侵害は直接の關聯がない。更に教授が條理法による警察權の限界を認めざるに拘はらず、制定法の文言の背後に密着せる立法者の默示の意思としての條理法が處分を覊束することとあるを認められるのは（前揭一八五頁）矛盾である。かかる條理法として例へば、行政機關が法の揭ぐる要件の存在する場合に必ず法の定むる處分をなすことを要すとされる主張（三〇四頁以下）は、覆審的爭訟を原則とする我が法制が處分なきを違法とする爭訟を認めざる爲に、格別の意義なきことは暫く措くも、それが實定法の文言の背後に密着せる立法者の意思なりやは明かでない。又法律の授權なき限り法律の留保の範圍外に於いても處分をなし得ざることは（二六七頁二六八頁）一應認めるとしても、この場合に法律の根據を要することから當然に裁量が覊束されるものとすることは疑はしい。

四

警察法の特色は徹底した實證主義の下では消滅する他はない。警察の手段が命令及び强制の權力的作用なることは、警察國的な福利行政を認めつつ、しかも警察を治安の目的に限定せんとする法治國思想の表はれであるが、この點では他の權力的作用より警察を區別するを得ず、更に警察目的に於ける公の秩序が法秩序だとすれば、その維持は警察に特別な任務ではない（Vgl, Merkl, Allgemeines Verwaltungsrecht, S. 213, 246）。けれども法律並びにこれに相應しき概念構成は事物の多樣性と個性が全く顧慮されざる場合にのみ無制約たるに止まる。すべて精神的現實は常に歴史的現實であり、その求むる概念構成は種屬概念の構成に於ける如き個性的なものの破壞ではなく、却つてこれを保持するものである（Heller, a. a. O. S. 328ff.）。法治國に於いて私法的な對等關係の觀念が著しく、反對に保守的世界觀の下で公共の優位が考へられるのと同じく、警察法の性格も亦歴史的に變遷を免れない。

警察の目的に於ける公の秩序（l'ordre public, öffentliche Ordnung）は社會的倫理的通念に於いてその服從が人類の共同生活の繁榮にとつて必須の前提と考へられる規範の全體であり（Kerstiens, Verw Arch. XXXVI, S. 215）、街路に於ける公の平穩（tranquillité publique）犯罪の防止による公の安寧.（sécurité publique)、傳染病豫防の爲の公の衞生（salubrité publique）を含む秩序づけられた事實狀態である（Hauriou, op. cit., p. 326）。それは社會すなはち不特定多數の人の集團生活が國家組織から一應區別され、前者の爲にする警察作用が財政・軍政の如く行政廳側の特殊の必要によるのではなく、作用の客體たる私人の生活する社會の爲なることを意味する。警察作用について特に法律による行政權の覊束が論ぜられ又優越せる統治權の發動に對して法的救濟を與へんとする主張が强いのはこれが爲である。それは當然に歷史と場處によつて制約される。例へば第十六世紀以降の警察國時代には福利警察が認められたのみならず、警察權の發動も法の拘束を受けること少く、前世紀の立憲主義の下では警察權の目的・根據及び限界が嚴格に解せられ、更に獨逸の協同體理念の下に國家對社會の二元的對立が否定されるに及んで根本的な修正を蒙むるが如し。

獨逸に於いては、第一に警察權の根據に關して、形式的意義の法律による支配が止揚された結果、法律と命令の關係も一變した。第二に警察の目的は協同體の秩序の保障にあり、それが國家の秩序たると下級協同體の秩序たるとを問はない。それは從來の國の警察（police générale de l'Etat）と地方警察（police communale）の如き警察行政廳の區別と異り、一面に於いて各具體的協同體に固有なる權能として、警察權が多元的に構成され、その結果特別權力關係に於ける秩序の維持と警察作用との區別が不明瞭になると同時に、他面に於いて國の政治目的が警察作用に結合することとなる。

第三に警察權の限界についても、先づ政治的指導の優位が認められるから、警察官廳の裁量は從來の法規による羈束以上に拘束されるけれども、裁判上の監督に必ずしも服せざるに至り、從つて法律問題と裁量問題の差異は相對的なものとなる。次に協同體にあつて全體と個人が本質的に結合し、各人はその協同體の構成員たる地位を協同體の秩序に從つて行使する義務があるから、警察公共の原則が修正され、私法關係と雖も政治的指導に反するときは警察權の發動するを妨げず、又一般に公共の災厄の防止鎭壓に協力する義務があるから警察責任の範圍が著しく擴大する。かくて警察比例の原則も最早格別の制限とならず、警察急狀權の概念も存在する餘地がない（私の、法律による行政、二九五頁以下）。

然らば我が警察法制に客觀化された世界觀的價値判斷は何を意味するか。それは憲法第二章の自由權の規定に求めなければならぬ。この規定はベルギー憲法に於ける同樣の規定が法律の留保として例示的列擧の意味をもつのと異り、傳統的な君主主義によつて制限的列擧と解せられ、その列擧する特定の自由及び財産についてのみ獨立命令を否定するものであつたが、立法・學說及び判例により一般に行政處分が法規に羈束される原則が確立されたると共に、憲法第九條の規定及び便宜應急の措置を要する警察權の性質に基づき警察命令が自由權を制限することが認められて、ここに自由權の規定の特異性が消滅するに至つた。これによつて見れば、我が法制の意味は、社會上有害ならざる限り臣民をして天賦の能力を發揮せしむるにあり、換言すれば警察命令の大權を留保しつつ臣民の權利及び財産の安全を貴重し給ふ御精神（憲法上諭第三段）と解せられるのである。

要するに警察法は警察の目的・根據及び限界に關して種々の制約を認めるが、それは實定法の字句に於いては必ずしも明瞭でなく、その解釋は立法・學說及び判例に於いて變遷する可能性があり、その法規範としての意味は我が法秩序の根柢をなす世界觀的價値判斷に基づいてのみ把握し得るのである。

（一橋論叢第八卷第四號・昭和十六年）

非常大權について

一

憲法第三一條が規定する大權は、直接には憲法第二章に掲げたる條規を侵害するものであり、又戰時又は國家事變の場合に於いて發動するものである。戰時及び國家事變は非常狀態（Ausnahmezustand）と稱するを得べく、從つてこの大權を非常大權といふ。ただこの名稱は國家の存立を維持する爲にやむを得ざる憲法違反の權力と混同される虞はあるが、我が國では國家と憲法が本質的に關係するから、一般の用語に從つて差支ないと思ふ。

非常大權の規定は大權發動の場合と效果に關するに止まり、所謂大權事項の規定或は憲法第九條に於けるやうな作用の目的が明示されない。從つて戒嚴の如き治安の維持に限るや否が疑問となる。又非常大權が統帥權を意味するや否、更に具體的な處置（Massnahme）の他に命令權を含むや否についても同樣である。積極的に目的が限定されない結果、非常大權が發動する可能性を直接制限せざる限り法律を以て非常狀態に於ける特別の規定を設けることは何等差支なく、ただかかる法律の先占區域についても、非常大權はその本來の範圍內では制約されないのに止まる。

非常大權が非常狀態に於ける獨裁（Diktatur）であつて、憲法の認める權力分立との關係で問題があるに拘はらず、諸國の憲法に類似の規定がないことも、解釋に困難を生ずる所以である。英法及び佛法では警察上の獨立命令及び緊急命令が旣に疑問とされ、獨逸では緊急命令につき規定があるけれども、非常狀態に於ける獨裁は戒嚴について考へられたのに過ぎない。我が憲法の如く、戒嚴及び緊急命令の規定の外に非常大權を規定するものは、異例といはなければならぬ。前大戰の頃から諸國の實情は政府の獨裁的權能を擴大した。これに關する憲法の基礎づけは、從來の戒嚴の法理或はその他から試みられるが、規定の態樣を異にする我が憲法上同樣に解釋されるかは疑問である。

以下には主として、非常大權と我が憲法第一四條の戒嚴の關係及び國家總動員法の關係を考へて見よう。

二

憲法第三一條に所謂戰時又は國家事變が戒嚴令第一條の戰時又は事變と同樣の意味をもつことは、稻田教授の指摘されるやうに（註一）樞密院に於ける憲法御諮詢案の經過によつて明かである。戒嚴の要件としての事變は主として內亂を意味し、佛國の戒嚴（l'état de siège）に關する一八四九年法律が内外の安寧に對して危險が迫まる場合に戒嚴の宣告を認めたのと異り、舊プロイセン憲法に für den Fall eines Kriegs oder Aufruhrs とあり(一一一條)、一八七八年佛法に en cas de péril imminent, résultant d'une guerre étrangère ou d'une insurrection á main armée とある(一條)のと一致する。

戒嚴は右の場合に兵備を以て全國又は一地方を警戒するものであるが、非常大權については所謂說明案の註釋に戒嚴の效力に於ける權利保障の停止とある部分がその後削られたから(註三)、戒嚴による場合には限られない。ただ英法では兵權による獨裁と然らざる獨裁につき政府に選擇の自由があり、經濟的混亂には後者が通常であるが、戰時又は事變を嚴格に解する我が法制では戒嚴によらざる場合は少いことになる。いづれにせよ憲法義解の示すやうに、第三一條は非常の變局の爲に非常の例外を揭ぐるもので、その時機の必要に非ずして妄に非常大權に推托し臣民の權利を蹂躪することは許されない。例外は嚴格に解すべく、非常大權の限界は憲法の原則から推論することが出來る。又非常大權の發動は戒嚴の場合に最も必要であり、從って戒嚴の效力はその他の非常狀態についても類推することが出來る。

先づ非常狀態の獨裁につき、英法と佛法及びこれに倣ふ大陸法系とは著しい對照である。佛法では戒嚴法を以てこれを規定し、戒嚴の宣告なくしては如何なる非常處置もなすを得ず、又戒嚴の效力も法律により限定され、軍の機關が行政機關から警察及び裁判事務を承繼するに止まるのが原則である。從つて獨裁は法律の規定する制度なるのみならず、法治國の要請に基づく憲法の原則の例外でもなく、régime de légalité たるを失はない(註三)。これは一八七八年の戒嚴法が前年の大統領マク・マオンによるクーデタの失敗から、戒嚴が憲法の破壞に濫用されることを警戒して一八四九年法を改正した爲に明かとなつた。殊に戒嚴の宣告は議會の會期中は法律の形式によるべく(註四)、議會の閉會若くは停會のときは大統領の命令によるが、この場合は發令の二日後に開かれる議會の承諾なきときは將來に向つて失效すべく、更に下院解散の後は戰時に非ざれば戒嚴の宣告が出來ないことに特色がある。

これに反して英法の martial law は外敵の侵入若くは騷擾に當つて、通常の行政組織に代へ非常組織を以てする獨裁であるけれども(註五)、事前に法律を以て基礎づけられない。從つて人身保護停止法 (Habeas Corpus Suspension Act) の如き斷片的立法が屢なされるに拘はらず、英法の獨裁は權力分立の原則を破るものと考へられる。けれども英法では形式的な權力分立よりも實質的に議會及び裁判所が政治を監督することが重視され、martial law に關する一般的立法を缺くことも却つて事後の監督を容易ならしめ獨裁權能を拘束することに意味をもつ。第一に裁判所は非常狀態 (state of war) の終了を決定し、然る後個々の獨裁的處置が適法なりや否を審査する權能がある。公の秩序を維持するにつき事實上獨裁の必要を生ずるときは、普通法上 ipso facto に政府の獨裁權が認められ、戒嚴の宣告を要しないが(註六)、これは非常狀態の存否につき裁判所の獨立なる審査を保障するもので、一七八〇年以前に屢見られる宣告(proclamation)はこの審査に當つて非常狀態存在の一應の推定を與へるに過ぎない(註七)。佛法が統治行爲(acte de gouvernement)として裁判所の審査權を認めないのと趣を異にする。具體的な獨裁的處置の審査については勿論非常狀態に於ける公益の重要性が認められるが、ここでも獨逸の警察法と同樣に比例原則が適用され、又官吏の民事責任を問ふを得べく、更に獨裁的處置を適法ならしむる必要性が政府の錯誤に止まり客觀的には存在せざる場合が違法たるはいふまでもない(註八)。第二に議會の監督は免責法(Act of Indemnity)の制定による。免責法は法秩序の範圍外にある martial law に法的性質を付與すること(註九)に止まらず、又反對に單なる宣言的性質のものでもない(註一〇)。その目的は先づ、獨裁機關の民事責任と刑事責任を解除し、その善意に出づる行爲につき訴訟手續を排斥するにある。次に獨裁機關の發した一般的下命に對して遡及的に法律の效力を與へる。更に英國の非常裁判所の裁判はただ非常狀態の存續中しかも直接强制によつてのみ執行することが出來、非常狀態の終了後自由刑を執行し或は通常裁判所の審査を免れる爲には免責法が必要である(註一一)。

我が法制は右の佛法と英法の中間をとり、戒嚴につき戒嚴令の規定あるに拘はらず、別に非常大權の規定を設け、その戒嚴によらざる場合について手續及び效力の規定を缺いてゐる。けれども後の場合は英法と異り、司法權が事後に審査し監督することなきのみならず、議會の事後承諾を要しないから、特に嚴格に解さなければならぬ。宮澤敎授によれば(註二二)、緊急命令及び戒嚴の手段で間に合ふ場合はこれによるべく、これ等を以てしても十分ならざる場合にはじめて非常大權が發動するのである。ただ非常大權の規定は憲法第二章の例外を定めたのに止まり、戒嚴の場合を除外すべきものとは思はれない。

我が戒嚴令は佛國の一八四九年法律(七條乃至九條)と略〻同樣に、戒嚴の效力として次の三を揭げる(九條乃至一四條)。

第一に地方行政事務及び司法事務が戒嚴司令官の管掌するところとなり、地方官・地方裁判官及び檢察官は司令官の指揮を受けなければならぬ。議會の權能は停止されないから、議會が戒嚴の下にある政府を監督し得るのはいふまでもなく、ただ戒嚴の效果としての軍隊統治については統帥權の獨立によつて議會の干與が阻却される。戒嚴司令官に移管される地方行政事務には警察命令權の如きも含むけれども、移管は司令官に上級官廳としての機關監督及び職務上の監督の權能を與へるのみで、司令官が命令權を取得するのではない。殊に臨戰地境では軍事に關係ある事件に限つて移管され、その他の事件には平時の行政機構が存續する。軍事に關係ある事件と雖も移管は必要なる限度に止まるべく、地方裁判官及び檢察官は追つて命令するまで司令官の指揮を請ふに及ばずとした先例(註一三)がある。

第二に戒嚴司令官の執行する處置が人民との關係で平時の行政と異るのは、居住移轉の自由・住居の不可侵・信書の秘密・所有權の不可侵・出版集會の自由等が法律又は警察上の命令に基づかずして侵害されることである。固よりこの作用は戒嚴令第一四條に基づくやうであるが、その列記する事項は概ね自由權に關する憲法の規定を戒嚴の目的に必要なる限度で破ることを認めるもので、若しかくの如き包括的なる例外が法律を以て規定し得るならば憲法第三一條の規定も亦單純なる法律の規定を以て足るであらう。從つて私は逆に戒嚴のこの效力は非常大權に基づくものと考へる。先例(註一四)では戒嚴令第一四條の一・三・四號の範圍で地方官にこの執行を命じたものがある。なほ戒嚴令の列擧せざる自由權の侵害につき、非常大權の發動によつて戒嚴司令官が必要なる處置をなし得るかは問題である。戒嚴令は法律であるから憲法上の大權を制限するを得ず、又憲法施行以前の法令は憲法により變更されたとも考へられるが、戒嚴の效力が法律によるのは憲法の要求であるから、戒嚴令の改正なき限り消極的に解する。

第三に合圍地境では軍法會議が一定の範圍で人民に對し裁判權をもつに至る。けれども陸(海)軍軍法會議法によれば、軍法會議は戰時事變に際し軍の安寧を保持する爲必要あるときは、戒嚴の宣告なき場合にも一般人民に對して特別裁判權を有し(五六條)、それは法律の定むる特別裁判所に他ならず、裁判權發生の要件として非常狀態を要するに止まり、佛國に於いて論議されたやうな法定裁判官の裁判を受くる權利を侵害する(註一五)ものではない。英法に於いて非常狀態に軍機關が設置する courts-martial は通常の軍法會議と異り(註一六)、その構成及び手續につき普通法の定なく、又法規によらず軍司令官の下命及び正義の一般原理によつて裁判し、その目的は獨裁的處置の執行にあつて刑を宣告するのではない。又非常狀態に於いて通常裁判所が軍の委任若くは許可により裁判することはあるが、この場合にも軍の機關の作用に干渉するを得ない。かかる裁判こそ特別裁判所とは區別すべき非常裁判所であるが、我が法制はこれを認めてゐない。

以上により戒嚴の效力は行政階序に於ける監督關係を除けば、自由權の規定の侵害を主とし、從つて非常大權と本質的に關聯する。ここに殘る問題は非常大權又は戒嚴の效力が獨立命令權を含むや否である。佛國大統領は戒嚴の場合にも執行命令(一八七五年二月二五日憲法三條)・全國に施行さるべき警察命令及び組織命令(註一七)の他には獨立命令權なく、戒嚴の執行を委任された軍の機關も警察命令權をもつに過ぎない。英國の獨裁權限にも命令權は含まれず、政府の普通法上の權能は憲法及び法律を具體的に破毀するに止まり、憲法規定の停止は立法府に留保される。人身保護停止法の意味は獨裁權による個別的處置につき、通常裁判所に出訴することを禁ずるにあり、非常狀態の終了後勾禁の違法が明かとなるときは、免責法の成立なき限り停止法と雖も違法性を阻却しない（註一八）。獨立命令權なきことは一七六六年政府が飢饉の對策として小麥の輸出禁止をするにつき緊急命令權ありと主張し、議會がこれを斥けて免責法を否決して以來（註一九）疑の餘地がない。我が國に於いても非常大權が非常の例外たることから、これを以て非常狀態の經過後に於いてもなほ效力ある命令を定め、或は裁判を爲し得ざるものと解する。緊急命令につき議會の事後承諾を要することに徵しても、緊急の必要なき立法が非常大權によつて議會の監督を免れることの不合理なるは明かであらう。戒嚴に於いて裁判が通常若くは特別の裁判所によつたやうに、命令權も亦非常大權には含まれないのである。

（註一）　稻田正次・憲法御諮詢案の修正、國家學會雜誌第五三卷二號八二頁
（註二）　稻田・前揭八一頁
（註三）　Esmein-Nézard, Eléments de droit constitutionnel, 1921 I, p, 25, n. 57,
（註四）　一八四九年法律によつて議會が戒嚴を宣告することになり、それが一八五二年一月一四日憲法で再び執行權が宣告の權能を取得したが、一八七八年法はこれを議會の權能に復した。
（註五）　Stephen, History of the Criminal Law p. 214.
（註六）　Dicey, Law of the Constitution 1926, p. 283,
（註七）　Hatschek, Englisches Staatsrecht II, S, 275,
（註八）　Hatschek, a, a. O, I, S, 614, 620.

（註九） Hatschek, a. a. O. I, S. 619 II, S. 273,

（註一〇） Dicey, op. cit., p. 551.

（註一一） Das Recht des Ausnahmezustandes im Auslande, 1928, S. 233 ff.

（註一二） 宮澤俊義・憲法略説、七〇頁

（註一三） 明治二七年一〇月五日、戒嚴司令官命令、一條

（註一四） 前出、戒嚴司令官命令、二條

（註一五） 軍法會議は一八一一年一二月二四日ナポレオンの命令によつて人民の裁判權を認められたが、その後破毀院の判例はこれを憲法違反とし、一八四九年戒嚴法の制定に當つても一八四八年憲法第四條の法定裁判官の裁判を受くる權利に反せざるかが最も論議された。

（註一六） Das Recht des Ausnahmezustandes im Auslande, S. 207 ff.

（註一七） 私の、法律による行政、一五八頁

（註一八） Dicey, op, oit., p. 226.

（註一九） Hatschek, a. a. O. I, S. 618.

三

非常大權及び戒嚴の意義につき、夙に動揺を與へたのは所謂行政戒嚴である。それは先づ一定の地

域を限り別に定むる勅令によつて戒嚴令中必要の規定を適用するを得べき旨の緊急勅令を發し、次いで勅令を以て區域を指定して戒嚴令第九條及び第一四條を適用するのを原則とする。緊急命令を發する所以は、それが戒嚴宣告の要件を充たさざる爲であるから、問題は戒嚴の要件は法律又は緊急命令を以て擴張するを得べきや、又これに伴ひ非常大權の發動すなはち憲法第二章の規定の個別的な侵害は戰時又は國家事變の場合に限られざるやにある。戒嚴なる法律概念は憲法が前提するところであるから、法律又は緊急命令により無制限に擴張することは許されないが、我が先例によれば行政戒嚴は何れも行政上の秩序を回復し治安を維治する爲に兵力を以て警備する場合であり、しかも通常の警察力を以て目的を達し得ざる爲の特別の必要によるから、憲治第一四條には牴觸しない。けれども戒嚴令第一四條の適用ある結果、非常大權の發動ありと解すべく、從つて憲法第三一條の國家事變の意義を擴張解釋せざれば說明が出來ない。固よりこの國家事變を內亂の如きに限り天災地變若くは內亂に至らざる騷擾を含まざるものとすることは、憲法の字句の上では明瞭でないが、少くとも戒嚴令に所謂事變より廣義に解する必要を生じたのである。

行政戒嚴と同じく國家總動員法による命令の包括的委任も亦已むを得ざる必要に出でて、憲法第三一條の原始的意義を擴張變遷せしむるものである。佐々木博士が非常大權を以て憲法第二章以外の一切の規定に觸るるを得ず●とされるのに對して(註二)、黑田教授は例へば憲法第六二條一項の侵害なくして第二一條を排除するを得ず、又憲法第八條に觸るるを得ずとすれば非常大權の發動に命令權を含まざることになるから、少くとも最小限度に於いて第二章の立法事項と直接の關聯に立つ限り非常大權が侵害し得るものとされる(註二)。けれども非常大權によつて侵害し得る憲法の規定には一定の限度があり、命令權を含むについては疑問がある。殊に非常大權が克服すべきものに警察法的意義の秩序の障害の他社會生活の各部門に於ける各種の危機を含むかは、近代戰に至つて生じた問題である。行政戒嚴が非常大權の發動の時期を擴張したのに對して、國家總動員法の前提する必要がその目的及び內容を擴張せしむるやは檢討を要する。

國家總動員法と非常大權の關係は暫く措き、前者が憲法上論議される所以は、勅令への包括的委任にある。須貝敎授は總動員法上の勅令が委任命令の範疇に屬することは爭がないとされるが、問題は憲法上許される範圍內の委任命令なりや否であり、通說が違憲とする一般的な立法權の授與なりや否であるのはいふまでもない。總動員法が認める委任は主として憲法第二二條第二七條第二九條の如き特定立法事項に關するもので、制令律令の制定權を授與する法律とは趣を異にするが、須貝敎授の指摘される如く總動員法第八條第一一條の委任等は當該法律事項のすべての點を包括的に命令の規定に委ねるものである(註三)。

これに對しては、非常大權が命令の制定を含むことを前提として、法律を以て勅令に委任することは非常大權を認むる憲法規定を無視するものとする非難と、非常狀態に於いても非常大權の發動は必要已むを得ざる場合に限るべく、通常の法律及び憲法上認められる範圍の委任命令或は緊急命令を以て規定し得る限り包括的委任は憲法違反なりとする非難が考へられる。然るに政府は總動員法による命令の制定は非常大權の發動に非ずとし、更に國防上の機密を保持する必要及び戰時事變の變化に即應して迅速の處置をなす必要あるを理由として、反駁してゐる。

須貝敎授は佐々木博士が憲法上一定の限界内で法律の委任が許されることの條理法上の根據として或る法律事項にして法律を以て規定することが不可能又は不適當であり却つて命令によらざれば規定する能はず又は適當なる規定をなす能はざる點は、命令の規定に委任することが憲法上許される(註四)とあるのを援用して、豫め法律を以て規定することが不可能にして不適當なる限り、法律關係の實質的內容はすべて命令の定むるところに委ね、法律自身は命令の發せられ得る時期・目的・關係事項及び命令の形式について規定するに止めることも、亦法律の委任として許されるものとされる(註五)。けれどもそれは立法事項を命令を以て規定せしむることになり、立法權の行政權への移管であるから許されない。法律の規定が不可能又は不適當なるときとあることは、立法權の移管とならざる範圍內なることを當然の前提とするもので、立法權の移管は憲法自身の規定に根據がなければならぬ。次に黑田敎授は總動員法の規定する權利自由の制限を正當づける爲には、單にそれが法律に基づくのみならず、戰時等の國家的危機を克服する爲には制限が或る程度通常の場合と異つても已むを得ないといふ點に發見されることを要し、更に憲法違反ならざる爲にはそれが憲法の精神に矛盾せざることが主張されなければならぬとされ、又非常大權の規定から國家危機の克服の爲には臣民の權利自由が犧牲にされることもあり得るのは明かで、かくて自由權の純粹な個人主義的自由主義的把握に對する反省が總動員法の理解に必要なりとされる(註六)。教授が單なる事實上の必要に止まらず憲法の精神を以て基礎づけられることは正當であるが、總動員法は帝國憲法の正常的狀態に關する諸規定の上に築かれてゐるとして憲法第一四條第三一條の如き非常的狀態を前提とするものから區別される結果(註七)、非常大權の規定から導き出される憲法の精神を以て總動員法を說明するのは理解し難い。私は一歩を進めてこの授權立法は非常大權によつて理解すべく、然らざれば單に事實上の必要による Staatsnotrecht と區別するを得ず、憲法上適法なる所以が說明出來ないと考へる。

・ただ非常大權による說明には、上述の如く非常大權が法律に基づかず若くは法律に牴觸する處分をなし得るに止まり命令權を含まざるものとする反對、及び大權の自由なる發動を認める所謂大權事項が白紙委任に近きにせよ法律を以て制限されることの疑問がある。

第一に非常狀態に於ける獨裁が當初命令權を含まざりしに拘はらず、最近に擴張されて命令權を認むるに至つたことは、諸國に一般の傾向である。

英國では一九一四年に制定された國土防衛法（Defence of the Realm Acts）が、いづれもその初に公共の安全及び國土防衛の爲に命令を發し得る旨の一般的授權を規定する。判例はこの命令の審査權ありとし、又この命令違犯者は通常の軍法會議で裁判することが出來るが、一九二〇年の免責法はかかる裁判が事後の承認を要するものとした。更に一九二〇年の緊急權法（Emergency Powers Act）は人若くは集團の行動にして食糧・水・燃料・照明の供給及び分配又は輸送手段を妨害し若くはその虞ある場合に、國王が緊急狀態を布告するを得べく、又これに基づき政府に廣汎な命令權を生ずるものと定めた。緊急狀態の存在及び命令の適法性は裁判所が審査するを得ず、命令違犯者は治安判事がこれを罰すべく、その裁判は事後命令が廢止されても失效しない。けれども緊急狀態の布告は一月間に限られ、又布告及び命令は議會に提出すべく、命令は提出後七日以内に兩院の承諾なきときは效力を失ふ。國土防衛法と緊急權法は命令について裁判所の審査を認めると否で異るが、いづれも政府に對する議會の優越が維持されることは英法の特色であり、この傳統の前にはかかる授權法が立法權の授與として權力分立に反するや或は政府に固有の命令權を確認するものなりやの問題は看過されるのである。

佛國に於いても前大戰の初に大統領は、その本來の範圍を超えて多くの緊急命令を發した。例へば官吏法・軍法會議の組織・軍事負擔等の規定を變更するもので、一九一五年議會はこれ等の命令に承諾を與へた(三月三〇日法律)。かかる命令が適法なりやにつき司法裁判所は消極的であるが、コンセイユ・デタは越權行爲の訴に於いて積極的に解し、法律執行の監督及び保障に關する大統領の權能(一八七五年二月二五日憲法三條)は戰時には法律規定の變更若くは停止を含むものと論ずる(註八)。けれども學說はかくの如き憲法の規定にその根據を求め得ざるものとし、事實上の必要は認めるに拘はらずこれに法的根據を與へず、或は憲法を離れて直接に國家の自己保存權から演繹した緊急權を以て說明を試みてゐる(註九)。なほコンセイユ・デタの判例は戰時の警察權に關して戰爭權の理論(théorie des pouvoirs de guerre)を構成し、本來違法で且つ戒嚴法にもよらざる警察作用を非常狀態の特別な必要から理由づけた。ここに至り佛法の非常權能は必ずしも戒嚴法を以て蔽はれざることになつた。一九二四年以來包括的な全權法が屢々制定されて、多くの法律統令(décret-loi)が發せられた(註一〇)。けれども法律統令についても法律の授權が極めて廣汎なること及び法律統令が法律を改廢し得ることに憲法違反の疑ありとされる。法律統令は裁判所の審査に服するが授權法の審査は行はれず、又この命令は一定期間內に議會に提出すべきものと規定される。佛法で注意さるべきことは、米國法の如く權力分立を認めこれを定める憲法の優越を堅持することであり、從つて立法權を行政權に移管することは、委任された權力は更にこれを委任するを得ざる法理(Delegata potestas non potest delegari.)によつて違憲とされる。しかもなほ緊急の事實上の必要からこれを認め、或は英國に於けるやうに議會が兎に角政府を監督し得ることを以て滿足したことは、やがてこの國の基礎たる權力分立と憲法を搖がし、遂に國民革命への途を開いたのである。

獨逸諸邦では帝政時代は政府の獨立命令權が廣範圍に認められた。緊急命令の如き明文の規定ある場合のみならず、組織命令には默示の授權が考へられ、又プロイセン警察命令權の如き憲法以前の法規或はザクセン警察命令權の如き憲法以前の慣習法に基づく場合がある(註一一)。慣習法上の授權は司法・行政の裁判機關によつて承認されることを要し、しかも憲法の明文を以て法律の委任を要する旨を規定する場合にかかる授權が許されるかは頗る疑問であるが、ここでは傳統的な君主主義により權力分立が制限され、立法權の干渉に對して行政權を保障若くは擴大する要請が强い。然るにワイマール憲法の下では、命令の授權すなはち包括的委任はただ憲法によつてのみ可能であり、法律による委任は立法機關が委任事項を豫見し得ることを要し、特定の生活關係に對する限定された目的の爲にのみ與へらるべきものとしたが(註一二)、同時に憲法第四八條第二項による獨裁的處置の限界が論議された。通説はここでも憲法の明文により特定の基本權を停止し得る他は、獨裁的處置によるも憲法規定を侵害するを得ずと論じた。然るに一部の學者は獨裁的處置が基本權を停止し得ることは、その囘復すべき公共の安寧秩序が形式的意義の憲法全體よりも高次のものなることを意味するとし、憲法議會の根本的な政治決定に基づく狹義の實質的憲法及び國家組織の最小限(Minimum von Organisation)

の他は、反對の規定なき限り獨裁的處置によつて侵害し得るものと主張した(註一三)。所謂組織の最小限の不可侵はその後主張されなくなつたけれども(註一四)、獨裁的處置を憲法に規定される通常の權限と區別した結果は、帝政時代に於けるより以上に廣汎な獨立命令權が正當化された。一九三三年の授權法は政府に法律を制定する權能を與へ、翌年のライヒ新建設法は新憲法を制定する權能を與へた。かくて權立分立の憲法は終末を告げたのである。

憲法義解によれば、我が憲法の正條に掲げたる非常權は各國が戰時の爲に必要なる處分を施行するのと軌を同じうする(註一五)。その特色は憲法に獨立の明文を設けたことにある。そして我が國に於いても近時經濟的自由主義が捨てられ、政府が單なる司法國家又は立法國家から行政國家となり、私法が公法の侵蝕を受けるに至り、審議し監視し得るも具體的個別的に行動し得ざる議會による立法は不適當となつた。誠に宮澤教授の指摘されるやうに(註一六)傳統的な權力分立主義を今日の社會情勢の現實によりよく適合する執行府强化の原理によつて補正する必要がある。ただ注意すべきは、權力分立の修正が議會の優越によらざることで英法と異り、憲法の字句が命令權を排斥せざることで佛法と異り、更に非常大權を以て侵害し得べき範圍が憲法の正條に示されることで近年の獨法とも異ることである。非常大權によつて憲法第二章の規定の全部又は一部が一時その效力を停止せしめられるとき、その限度で法律事項が大權事項になるとすることは、少くとも條文の文字に牴觸しない。國家の同一性（Staatsidentität）と憲法の同一性（Verfassungsidentität）の區別或は憲法制定權と憲法が認める獨裁權能の區別は、我が憲法が比類なき欽定憲法であつて憲法改正權の限界が專ら勅旨によつて決せられ、論理的に明瞭でない爲に、非常大權の限界をこれに求めるのは疑はしい。カール・シュミットは君主が大統領にも認められる獨裁的權能の他に Staatsnotrecht をもつとし、それは憲法制定權の存在自體すなはち君主の地位には觸れずして既存の憲法を左右するものとする(註一七)。けれどもこれは我が憲法の解釋に採るを得ない。

第二に總動員法は非常大權の發動の限界につき創設的意味はなく、しかも必ずしも無用の法律ではない。憲法上の大權事項が法律を以て制限すべからざることは通説であり、黑田教授が總動員法を正常的狀態の法とされることも、それが法律なる爲に非常大權を制限するものに非ずとすることに基づく。總動員法が非常大權に比してより正常的な憲法の構造の內部に於いて國家的危機を克服するものと解するのは(註一八)、法律の形式を指すに止まり、命令の包括的な授權については當らない。

この點で總動員法は明治二三年法律第八四號と比較することが出來る。この法律は命令の規定すべき義務內容につき全く白紙であり、從つてその處罰は直接人民に適用されるものでなく、政府に一定の範圍で罰則制定權を賦與するものであるから、委任命令の根據たるを得ず、從つてこの範圍內で罰則を含む命令は特別の憲法規定又は法律に基づかざる限り、憲法第二三條に牴觸する。私はこの問題たる法律が憲法第九條に於いて、警察命令を實行あらしむる爲に憲法が許容する罰則制定權の限界を示すものと解する(註一九)。固より憲法第九條は法律命令の共同範圍と稱せられ、所謂大權事項と區別されるけれども、非常大權の規定も亦戰時又は國家事變の場合に法律の制定を否定するものではない。

所謂大權事項說は、憲法が定立する大權を法律により制限することが憲法の認むる立法權と命令權の限界を破るものとするにある。けれども明治二三年法律第八四號が警察命令の大權を制限するものでなく、ただ警察罰の獨立命令が憲法第九條の規定に於いて明瞭を缺き、少くとも憲法第二三條との關係で罰則の限度につき疑問あるが故に、注意的に大權の限界を示した宣言的規定なると同じく、總動員法に於ける包括的な授權の規定も非常大權の規定がその內容につき明瞭を缺き、少くとも戒嚴との關係で經濟の統制にまで及ぶやが問題となるが故に、注意的に非常大權の發動の限界を示したのである。言ひかへれば經濟の統制に關して非常大權の原始的意義が擴大されたことが、法律のこの點に關する宣言的規定を理由づけるものと解する。

(註一) 佐々木惣一・日本憲法要論、二六三頁
(註二) 黑田覺・國家總動員法と非常大權、法學論叢第三八卷六號、二四頁
(註三) 須貝脩一・國家總動員法上の勅令、法學論叢第四五卷四號、五九頁、六六頁

（註四） 佐々木・前掲、六〇五頁

（註五） 須貝・前掲、六七頁

（註六） 黒田・前掲、一七頁

（註七） 黒田・前掲、五頁

（註八） Esmein-Nézard, op. cit, II, p. 94 et suiv.; Duguit, Traité de droit constitutionnel, III, 1930, p. 748 et suiv; IV, 1924, p. 739.

（註九） Arr, Cons, 30 juillet 1915.

（註一〇） 刑部荘・デクレ・ロワについて、比較法雑誌第一號所載

（註一一） 私の、法律による行政、六五頁以下

（註一二） 私の、前掲、六八頁以下

（註一三） Veröffentlichungen der Vereinigung der Deutschen Staatsrechtslehrer, Heft. I, S. 93 ff.

（註一四） Carl Schmitt, Verfassungslehre, S. 27, 111.

（註一五） 憲法義解・第三一條註

（註一六） 宮澤俊義・立法の委任について、公法雑誌第二巻一一號、三頁、一九頁

（註一七） Veröffentlichungen der Vereinigung der Deutschen Staatsrechtslehrer, Heft. I, S. 84, 85.

（註一八） 黒田・前掲、二六頁

（註一九）　私の、前掲、一八二頁

（國家學會雜誌第五六卷一一號、昭和十七年）

（出協會員 A 125007）

昭和二十一年十二月五日 印刷
昭和二十一年十二月十日 發行

自由權・自治權及び自然法

著作者 田《た》上《がみ》穰《じょう》治《じ》

發行者 江草四郎
東京都神田區神保町二ノ十七

印刷者 牧恒夫
東京都西多摩郡霞村根ケ布三八五

發行所 東京都神田區神保町二丁目十七番地
書肆 有斐閣
本郷支店 本郷區森川町七十九
京都支店 左京區吉田牛ノ宮町三

配給元 東京都神田區淡路町二丁目九番地
日本出版配給株式會社

大化堂印刷

自由権・自治権及び自然法（オンデマンド版）

2013年2月15日　発行

著　者　田上　穣治

発行者　江草　貞治

発行所　株式会社 有斐閣

〒101-0051　東京都千代田区神田神保町2-17

TEL　03(3264)1314(編集)　03(3265)6811(営業)

URL　http://www.yuhikaku.co.jp/

印刷・製本　株式会社 デジタルパブリッシングサービス

URL　http://www.d-pub.co.jp/

AG567

ISBN4-641-91093-6

Printed in Japan